Van porselein

Marjan Lammens-de Caluwé

Van porselein

roman

Uitgeverij Aspekt

Van porselein

© 2014 Uitgeverij ASPEKT
© Marjan Lammens-de Caluwé

Amersfoortsestraat 27, 3769 AD Soesterberg, Nederland
info@uitgeverijaspekt.nl - http://www.uitgeverijaspekt.nl

Foto omslag: Wijnand Lammens
Omslagontwerp: Mark Heuveling/Charise Blokdijk
Binnenwerk: Maarten Bakker

ISBN: 9789461535757
NUR: 680

Voor Wijnand

Geïnspireerd door Gerard van Emmerik en ALI,
door Romanieke † en Léonie †

Für mich soll's rote Rosen regnen

Mit sechzehn sagte ich still, ich will,
will gross sein, will siegen,
will froh sein, nie lügen,
mit sechzehn sagte ich still, ich will,
will alles, oder nichts.

Für mich soll's rote Rosen regnen,
mir sollten sämtliche Wunder begegnen.
Die Welt sollte sich umgestalten,
und ihre Sorgen für sich behalten.

Und später sagte ich noch,
ich möcht' verstehen, viel sehen,
erfahren, bewahren,
und später sagte ich noch,
ich möcht' nicht allein sein,
und doch frei sein.

Für mich soll's rote Rosen regnen,
mir sollten sämtliche Wunder begegnen.
Das Glück sollte sich sanft verhalten,
es soll mein Schicksal mit Liebe verwalten.

Und heute sage ich still, ich sollte
mich fügen, begnügen,
ich kann mich nicht fügen,
kann mich nicht begnügen,
will immer noch siegen,
will alles, oder nichts.

Für mich soll's rote Rosen regnen,
mir sollten ganz neue Wunder begegnen.
Mich fern vom alten Neu entfalten,
von dem was erwartet, das meiste halten.

Ich will - Ich will

- Hildegard Knef -

1

Hij schopte, zette zich af tegen een rib en spande mijn huid. Ja, een hij. Iedereen hield vol dat ik een jonge-tjesmoeder was en wat iedereen zei, was waar.

De man tegenover me loensde, had een haviksneus en een vettige knevel in punten gedraaid. Vanaf zijn neus liepen blauwe aderen als stroompjes uit een rots-wand omlaag en te oordelen naar de kegel, smaakte de oude klare hem op ieder uur van de dag. Van de ander zag ik alleen de brede rug achter een stapel papier.

Opnieuw een trap tegen mijn ribben. Het was bloedheet, ik kon onmogelijk mijn jas uitdoen. Dat vroegen ze ook niet. Ze vroegen me helemaal niets.

'Halt!' had de knevel met opgeheven hand geroepen, 'stapt u eens af.' Een en al vriendelijkheid loodste de man me naar binnen. 'Gaat u zitten.' Hij boog nog nét niet. Naast een roodgloeiende kachel stond mijn stoel al klaar; een gloeiende kachel in mei… Wekenlang had hij 's middags gewoon naar me gezwaaid, tot nu.

Zachtjes wreef ik over mijn buik, liet mijn handen op de bolling rusten en probeerde niet te denken aan wat komen zou. Knevels vriendelijkheid werd een min lachje, het minne lachje werd een grijns. Terwijl onder mijn jas alles zacht werd bleef ik hem aankijken, draai-de wat ongemakkelijk op mijn stoel en hoestte, in de hoop de ander te alarmeren. Geen reactie van de groene rug die één massa vormde met de nek; enkel een hoofd dat niet bewoog en een arm die pats-boem-pats-boem stempelde alsof hij een eigen leven leed los van het lijf waar hij aan vast zat. Op het stempelen na was het griezelig stil. Zelfs mijn zoon voelde onraad en verroerde zich niet; mijn buik ontspande. Ik kreeg jeuk, vreselijke jeuk en kon er niet bij om te krabben; dik geel vocht sijpelde langs mijn rechter dij op de plavuizen en stolde zodra het de vloer raakte. De douanier boog voorover. Als een ranzige vaatdoek kletste de walm van zware tabak vermengd met jenever in mijn gezicht.

'Wel vrouw, wat gaan we d'r mee doen?'

Die vraag was voor de ander het signaal zich te bemoeien met mijn arrestatie. De stoel kraakte en ook de stempelaar richtte zich nu rechtstreeks tot mij, zei: 'Tiens, tiens,' en frommelde zijn hemd in zijn broek. Met een boog sprong het knoopje voor me langs, de hoek in, waarop de knevel zich zachtjes kreunend bukte en het hem toewierp.

'Voor Pieternella,' zei de een.

'Ja, voor Pieternella,' zei de ander en stak de knoop in zijn zak.

Ik zette me schrap tegen de leuning, rechtop, zodat zoonlief vanbinnen voldoende ruimte had. Nu boorden twéé paar ogen zich in mijn buik. De stempelaar stond op en pakte een krant, die hij secuur pagina voor pagina om me heen drappeerde.

'Anders trekt het vet in de plavuizen, eeuwig zonde, pas gelegd.'

Op de hete kachel dansten waterdruppels rond de ketel, met de mouw van mijn jas veegde ik mijn voorhoofd droog.

'Hef die schone voetjes van u eens eventjes op,' zei hij, met een knipoog. Het mispunt. Ik gehoorzaamde, maar kon de neiging uit te schieten met mijn klomp, amper bedwingen.

'Werklieden weigeren arbeid aan prikkeldraad voor Duitsch leger,' kopte de krant onder mijn voeten.

Zware hamerslagen klonken tot binnen, hout op hout. Kilometers palen werden de grond in gejast. Het was er de tijd niet naar om kinderen op de wereld te zetten, maar Stan had haast.

De een gebaarde de ander mee te gaan naar buiten.

'Grote controle,' zei hij, meer niet.

Met een droge klik viel de deur achter hen in het slot. Door het raam zag ik ze roken en lachen, de stempelaar krabde aan zijn kruis; 'grote controle', het liet zich raden wie het mikpunt was van hun spot. Bij gebrek aan een visiteuze lieten ze de kachel het werk doen.

Vreemd geronk kwam snel dichterbij, met een plofje viel het stil. Een motorfiets. De twee buiten namen hun pet af, toonden ontzag voor de nieuwe techniek, maar meer nog voor de glinsterend stalen puntmuts met de heftig gebarende Pruis eronder. Wijdbeens bleef de Pruis op zijn machine zitten, de douaniers knikten, keken, het hoofd een beetje schuin, liepen er nieuwsgierig omheen en wezen naar iets in het niets; mij waren ze vergeten.

Een schoppend voetje alarmeerde mijn elleboog, vooruit, die achterdeur, pak het gangetje. Nog een tik, zeg, waar wachten we op? Was er een uitweg? Er was zeker een uitweg. Natuurlijk kon ik ervandoor, maar mijn billen zaten aan mijn jas geplakt en de jas zoog zich vast aan mijn stoel. Soppend kwam ik overeind en wankelde naar de deur op een kier. Mijn buik was te zwaar om tempo te maken, mijn klompen siepelden vol vet. Pijnlijk schuurde papier op mijn blote vel terwijl ik tegen de muur gedrukt naar mijn fiets schuifelde. Niemand zag me. Bibberend bedacht ik dat ze me misschien niet wílden zien. Ik stapte op, gleed van de trappers en smakte op het zadel. Vanuit mijn lies een pijnscheut naar boven die me de adem benam, met een keiharde buik hing ik over mijn stuur, schopte mijn klompen uit en slingerde ze in de watergang. Snaterend vlogen de eenden alle kanten op. Kijk voor je! Kijk uit! Op blote voeten had ik meer grip op de trappers; niet vallen, ik mocht vooral niet vallen. Half gestolde boter kleefde aan mijn benen, vanonder mijn jas vlogen papiertjes het weiland in, de eenden achterna; ongezien dreven mijn klompen de grens over.

2

Fietsen lukte niet meer, daar moest ik me bij neerleggen; dik en rond was ik veroordeeld tot een hoge zetel onder de notenboom met een knoest als voetenbankje. Hordes werkmieren sjouwden langs de stronk op en neer; zij wel. Als ik neerzeeg liep mijn troon vol vlees. Hier zat ik gedwongen mijn laatste dagen uit. Hier moest ik wachten tot mijn jongetje nieuwsgierig genoeg was om aan zijn eigen reis te beginnen. Het was een aangename wachtplek. Mijn notenboom was het vredige middelpunt van een lelijke wereld, hij ritselde me in slaap en ruiste me wakker. Hier droomde ik van een zacht, roze lijfje op mijn lijf. Ik kon hem al ruiken, iets tussen perzik en appeltjes in.

Het zinkende schip vol duivels met blinkende piekhelmen, palen, hamers en ronkende motoren verdween uit zicht; ik stond op de kade en zwaaide. Er was geen oorlog, er was eten en drinken voor iedereen, we hadden elkaar lief en niemand ging dood. Terwijl ik zachtjes in mijn buik duwde en hij vinnig terugschopte, vertelde ik hem sprookjes; geen flauwekul over zoete koeken, maar spannende sprookjes over dieren die praten konden. Wat had de egel te vertellen, of de meeuw? Konden die twee elkaar verstaan? Fantaseren over sprekende dieren deed ik graag. Of ik vertelde hem de echte jongensverhalen die ik bij Emma thuis gelezen had, over Winnetou en boeven. Eén ding was zeker: eind goed, al goed.

De laatste weken had iedereen het over de draad aan de grens, over een kilometers lange versperring die je niet mocht aanraken; deed je dat wel, dan bliksemde je dood. Het was iets nieuws, ze noemden het elektriciteit en het was levensgevaarlijk. Maar het ging niet werken, was alom de verwachting; over zo'n afstand kregen de Pruisen dat nooit voor elkaar. De zwaluwen waren blij met de draad, die streken er in eindeloze rijen kwetterend op neer en gingen er niet aan dood; dat was curieus. De palen waren geen gewone palen. Ze waren versierd met porseleinen potjes en draden, je zou ze zó een tambour-maître in de handen duwen en hopsa, de borst vooruit, de neus omhoog vooraan in de fanfare.

Onder mijn boom bleef het koel en geen mug drong mijn territorium binnen. Muggen deden niet aan landjepik. Wonderlijk hoe bomen en insecten elkaars vijanden konden zijn. Ook mensen hadden vijanden. Ik legde mijn jongetje uit dat muggen gruwden van notenbladeren, maar ik verzweeg dat veel Belgen gruwden van de Pruisen. Van Knokke tot Voeren was een spookdraad in de maak die de Belgen in België en mijn familie in Nederland moest houden, een draad die mij het schrijven met Emma ging beletten, zoveel was zeker; geen spannende brieven meer uit Brazilië en omgekeerd geen verhalen over het pas geboren neefje in Vlaanderen. Er gebeurde veel in korte tijd. De laatste kruiwagens vers brood uit Holland zouden binnenkort de grens passeren, aan kippengaas ging je voortaan dood.

Dat vertelde ik de kleine allemaal niet en hij hoefde ook niet te weten dat de Pruisen deden alsof alles van hen was, dat ze koeien met de uiers op springen de wei injoegen en de boerenschuren sloopten om plaats te maken voor de draad. Dat zelfs de boomgaard van

Mathilde intussen half gekapt was, haar sterappeltjes-boom met een bijl in mootjes gehakt; komende Kerst-mis geen ballen in de boom.

Ik zou hem wel vertellen dat Mathilde in de zomer de sterappels al plukte terwijl ze nog groen waren, dat Emma en ik papieren sterretjes uitknipten en die heel secuur met suikerwater op de appels plakten. Hoe we ze bij volle maan buiten legden en het maanlicht ze lang-zaam rood kleurde, behalve daar waar het papier zat. Zo werden het echte sterappels en pronkten ze, hun steeltjes aan rood striklint, met Kerstmis in Mathildes boom.

Een knal, carbid in de boomgaard van boer Schelle-kens moest ervoor zorgen dat niet de hele kersenoogst in de spreeuwenmagen verdween. Dichtbij ging het knersen van Stans klompen op de sintels over in ge-dempte voetstappen op het gras; twee grijpers in kaki omarmden mijn monumentale gestalte, een kus op mijn oor. Ik glimlachte en verroerde me niet. Zijn lip-pen bleven waar ze waren, zijn grote handen rustten op het gebloemde katoen.

'Het blijft een wonder', zei ik.

'Een wonder?'

Ik keek hem aan: 'Ja.'

'Sinds wanneer geloof jij in wonderen?'

'Dat zit hier te flikflooien onder de notelaar terwijl het spookt aan de Somme,' schetterde Florine, zwaai-end met een brief.

'Roos, excuus, foutief bezorgd, ik had hem open voor ik er erg in had.'

Dat zal wel, dacht ik.

'Het gaat haar goed, ginder.'

Haar? Ginder? Nieuws van Emma! Dat zou voorlo-pig weleens het laatste kunnen zijn.

'Excuus aanvaard,' zei ik blij en rukte de envelop uit haar handen.

'Er is spektakel rond Péronne,' zei Florine.

'Dat is geen nieuws,' antwoordde Stan. Al lezend luisterde ik met een oor mee.

'Er doen verhalen de ronde over engelen aan het front.' Emma's brief kon even wachten.

'Geen wonder, met al die lijken.'

'Spot niet, Stan!' riep ik, met de rillingen over mijn rug. Van schrik viel iedereen stil. Geritsel. Tegenover mij onder de ligusterheg scharrelde een egel, en route als postiljon d'amour, het snuitje spits naar voren, de bladeren aan zijn stekels, te bezorgen bij...

'Nou?'

Bij Stans harde 'nou?' werd de egel een bolletje. Egels waren speciaal, zo goed als blind en toch de weg vinden; zag ik er een, dan wou ik er achteraan. Het bleef stil, er hing iets zwaars in de lucht; ik vouwde Emma's brief dubbel in mijn schort.

'Nou?' Stan gaf niet op, 'hoe ging het ginder verder?'

'De Pruisen wonnen tot ze ineens aan de kant van de Engelsen witte engelen zagen met pijl en boog.'

'Florineke, Florineke, drink in het vervolg beter fluitjesbier.'

'Maar je vraagt ernaar! Luister, de Pruisen werden door pijlen, door echte pijlen geraakt, vielen neer en waren niet gewond.'

'Dat is hallu-allu-cinatie. Of zoiets. Door hevige angsten, dat is toch niks nieuws.'

'En wat weet mijn broertje dan allemaal over hevige angsten? De engelen worden gedomme 'de kameraden in het wit' genoemd.' Florine was gepikeerd. Florine had altijd gelijk.

'Let op mijn woorden,' mompelde Stan en liet me los, 'dat wordt met Allerzielen een hele drukte over en weer.'

'Denk je dat ik mijn ouders binnenkort nog zie?'

'Ik schat dat dat moeilijk wordt, heel moeilijk.' Hij hurkte naast mijn troon, ging languit in het gras liggen en zei: 'Je zou die engelen eens kunnen proberen.'

Ineens voelde ik me verschrikkelijk alleen. Zonder te groeten beende Florine weg, de egel vluchtte onder de vlier.

Emma's brief was een prachtig verhaal over hoe ze in Brazilië leerde paardrijden, hoe ze in de bergen werd nat gespetterd door watervallen in plaats van door de regen, een verhaal dat je liet dromen; leren paardrijden, ik ging het ook proberen, zodra ons jongetje er was.

3

Naast me in bed lag tussen twee lauwe kruiken een veel te klein meisje met een hoofdje niet groter dan een appelsien en een lijfje dat precies paste in de hand van haar vader. Het was beter niet alles te geloven wat anderen zeiden. Een prutske van vier pond, maar ze lachte. Mijn blik ging op en neer tussen het poppengezicht en de foto naast mijn bed. Binnen de gekartelde randen lichtte een bruidspaar op in een donker ei. Op het gezicht van de vrouw, meer nog een meisje, duidelijk de sporen van maandenlange spanning. Haar dagelijkse gang naar de kapel met de miraculeuze Sint Josef tegen verrassende zwangerschappen en ongewenste vrijages had niet geholpen. Jong als ze was, was ze te laat getrouwd.

Wat deden mijn ouders nu? Hoe kregen we het goede nieuws van hun kleindochter de grens over?

Hoogspanning!

Doodsgevaar!

Danger de mort!

De zoete geur van Jan-in-de-zak drong door alle kieren; het was het enige dat Stan koken kon. Altijd hetzelfde. Fluitend kneedde hij het deeg tot het als vanzelf over het granieten aanrecht liep, deed het in een kussensloop, dompelde het in onze grootste pan met kokend water en vloekte om de hete spetters op zijn handen. Met het uur groeide het brood tot de sloop bijna knapte. En dan kreeg ik op bed een bord vol Jan met roomboter en veel te veel bruine suiker in het kuiltje voor de melk.

Zoet tempert bitter.

'Eet voor twee!' zou hij roepen, terwijl zijn vriendelijke ogen er vanaf de bedrand op toezagen dat ik alles op at. Watertandend kroop ik onder het laken en aaide voorzichtig een beentje, het meisje fronste in haar slaap.

'Wij twee, een mooi stel,' ik trok haar aan haar luier zachtjes naar me toe.

Wanneer kwam Florine? Het schemerde al. Was het haar gelukt de komst van het meisje aan mijn ouders te melden? Ze had het beloofd. Ver weg knalde geschut. Nooit eerder drong het geluid van de oorlog mijn slaapkamer binnen; foute wind en fout weer, veel te heet. Geblaf vanuit de hondenren.

'Hoor, prutske,' fluisterde ik, 'hoor, dit zijn Bulder en Bach; de honden, of beter, onze paarden. Pappa spant ze in een tuig voor de kar en bezorgt de post. En eieren, melk en groenten, van alles wat de mensen nodig hebben. Zelf hebben we genoeg. Alleen de brieven voor opa en oma, en voor Emma, die kunnen niet meer mee, voorlopig.'

Het geblaf werd gejank. Toen zwaaide de achterdeur open.

'Laat die honden met rust, gedomme!'

Het raam stond open, het meisje rilde, even.

'Aufmachen!'

Dit klonk slecht; wie was dat?

'Wir erfordern die Hunde.'

'Wablief, wasss!?' Stans stem sloeg over.

In één beweging verdween het meisje onder mijn hemd en schoven we onder het laken, haar nageltjes krasten mijn vel.

19

'*Starke Rasse, tauglich zur Munition.*'

Pruisen op ons erf. Dikke druppels zomerregen kletterden op het dak en overstemden de ruziënde geluiden buiten. Het raam lichtte op, dan een donderklap. Ik maakte me nóg kleiner.

'Meisje, er zijn mannen buiten, die vinden Bach en Bulder mooi en willen ze meenemen om voor hen te werken. Die mannen zijn groot, maar jouw pappa is groter.'

Uit het niets stond Florine te krijsen in de voordeur:

'Mijn kat, stómme Dora, mijn kat hangt gebraden aan de draad.'

Gelukkig, daar was ze.

'Je dappere tante is eindelijk terug.' Het werd warm achter mijn ogen. 'Efje, noemen de mannen haar; Efje speelt met mannen met veel geld en weinig hart. Maar zij, en niemand anders, kan misschien naar opa en oma over de grens om te vertellen dat jij geboren bent.'

… Gebraden aan de draad…? Florine en haar grappenmakerij. Welke draad? Dé draad? Ik schoot overeind. Doorweekt kwam ze binnenzeilen, een zigeunerin met natte, lange haren, alsof ze niet van hier was.

'De staldeur stond op een kier, katten hou je niet binnen en nou is ze dood, die verrekte eigenwijze kat is dood. Ik wil Doortje begraven, maar ik kan er niet bij, en ze hangt daar maar te schroeien, een stok, ik moet een stok.' Haar gehijg ontnam mij de adem. 'Stán, Stáááán!' 'En hout, het moet iets zijn van hout.'

'Van hout?' zei ik zachtjes, om te proberen haar gegil te temperen.

'Een milicien probeerde een dood konijn aan zijn bajonet te prikken en is ge-lek-tro-treerd of zoiets, dood, morsdood.' Ze beefde over haar hele lijf. Ik begon te huilen; lucht.

'Roos, jank niet, waar is Stan?'

'Buiten… bij…'

Ze draaide zich om.

'Hier blijven,' gilde ik, 'de Pruisen vorderen de honden.'

Ze schrok, ging aan mijn voeteneind zitten en pakte het meisje. Al dagen wou ze er niets van weten, nu nam ze eindelijk het kind op schoot, een eigenaardig moment. Als een helm vouwden haar handpalmen zich om het hoofdje, haar blik veranderde, haar gezicht werd zacht. Toen veerde ze op en schoof de kleine ruw naast me in bed. Prutskes gezicht werd rood, ze huilde.

'Dat gaan we zien, we zullen weleens zien of ze onze Stan zijn honden vorderen!'

In het licht van de petroleumlamp gleed haar schaduw over de muur als een donderwolk op drift.

'Jouw tante kan er niet tegen als ze pappa pijn doen.' Ik kuste een schokkend oortje, ze viel stil. 'Misschien kan tante Bach en Bulder redden.' De punt van mijn neus rustte in de piepkleine oorschelp die lekker geurde, mijn hoofd werd licht, maakte zich los van mijn romp. Het was goed dat ik in bed zat. De bloemen op het behang dijden uit, gingen alle kanten op. Het getjirp van nachtelijke krekels drong de slaapkamer binnen.

'Mamma wil naar buiten.'

De wolk op het behang was blijven hangen.

'Mamma wil weg.'

Het meisje lachte!

'Weg, wég. Het land op, ploegen, lopen, zingen en het liefst alles zonder malheur.'

Twaalf hechtingen schuurden en trokken, gemakkelijk liggen lukte niet, ik draaide me op mijn zij. Het kousje van de olielamp moest vervangen worden, onrustig flikkerde het licht zijn laatste uren, mijn ouders op het nachtkastje schudden traag van nee… Kon je een deel van jezelf ergens achterlaten, zomaar cadeau doen, als een soort aflaat?

'Mamma wil licht en mamma wil lucht.' Prutske geeuwde. Doodmoe zakte ik onderuit en sloot mijn ogen.

4

Mijn laarzen zogen zich vast in de klei. Bij iedere stap tikte het rubber tegen mijn gespannen kuiten. In geelrode gloed vocht de zon met de ochtendnevel; de zon won. Mijn huid tintelde, ik neuriede een niet bestaand wijsje en hield de teugels strak. Dampend liep het paard recht voor me uit, mens en dier in een perfect ritme. Met één hand hield ik de ploeg in het spoor, mijn knol deed de rest. Meeuwen overschreeuwden mijn jongste lied. Brutaal scheerden ze in duikvlucht over de voren en pikten de vette wormen uit de klei. De geur van warme aarde; bomen, struiken, gras, alles fonkelde, een uitbarsting van licht tegen de helblauwe lucht, ik kon een vogel zijn, ik was een vogel, vloog mijn eerste vrije vlucht, het was zeker, ik werd boerin! En de vrouw van Stan Baeckelandt. Dromend over mijn eigen kippen, honden, groenten, vijver, bloementuin, kinderen, maar vooral over liefhebben en léven zonder dat iemand me constant op de vingers keek of tikte, zoog ik mijn longen vol. Vanuit mijn iets te grote laarzen ontsnapte zweetlucht.

Stan had me gisteravond opgehaald, compleet onverwacht stond hij bij ons binnen.

'Bonjour pappá, mag ik uw dochter lenen?' Hij zwaaide galant, een beetje brutaal zelfs, met zijn pet. Hij zei: 'Pappá!' Mijn vader knikte zuinig. Ik haastte me langs hem heen naar buiten.

'Ze trouwt omlaag, verdomme,' baste hij tegen mijn moeder, hard genoeg zodat ik het horen zou.

Ik sprong bij Stan achterop. Ons pauwenpaar vluchtte ieder een kant op, wij fietsten recht naar het grenscafé. Daar stonden ze op de stoelen.

'Dicht, laat die deur dicht,' schreeuwde Raf toen we naar binnen wilden. Of was het iemand anders? Raf was doorgaans de rust zelve. Op zoek naar chocola liepen we langs achter, binnendoor naar het café. Daar zat Mathilde hoofdschuddend aan de keukentafel.

'Een pint of wat teveel, de duivenmelkers.' Ze haalde haar schouders op. 'Jullie weten de weg.'

In de deuropening zagen we nog net hoe Raf, in een poging een duif te vangen, van de ene stoel op de andere sprong, mistrapte en op de plavuizen smakte, wat voor Mathilde het signaal was om in te grijpen. Boer Schellekens hielp de vloekende Raf overeind. Te midden van de chaos tuitte Mathilde haar lippen en floot zachtjes. De grijze doffer landde op haar hand.

'Schellekens, waar is haar mand?'

'Die hebben we niet, het beestje is de weg kwijt, het is gewoon door het venster naar binnen gevlogen.' De mannen fluisterden. 'Het is gedomme een prijsbeest, kijk. Kijk uit, zijn pootje is kapot!'

Nagestaard door de duivenmelkers liep Mathilde naar de woonkamer en commandeerde haar parkiet zijn kooi te verlaten. Het blauwgele vogeltje landde op haar schouder terwijl ze de duif voorzichtig door de opening de kooi in duwde. Het deurtje bleef open.

'Er zal zich wel iemand melden, als het een echte prijsvlieger is,' zei ze. 'Kom kinders, melk of puur, wat zal het zijn?'

'Puur', zei Stan, 'zo bitter mogelijk.'

Die avond was Stan in zijn nieuwe buis op zijn allermooist. Aluin deed zijn fris geschoren wangen glimmen, op zijn neus parelden druppels, zijn blik ving de mijne. Terwijl we Mathildes boomgaard inliepen bleef ik hem aankijken; hij met het pak chocola met de gouden letters, ik met een pul water. Onder de appelboom fluisterde hij me levenslang zon, zomer én chocola in het oor. Ik ging naast hem liggen, hapte tintelend in zijn zoute arm, wreef de grasprieten uit mijn mond en likte de parels van zijn neus. Boven zijn slapen de eerste grijze haren; mijn bloed zong toen ik gulzig in de chocola beet en die langzaam met mijn tong tegen mijn verhemelte liet smelten.

En toch bleef de bas van mijn vader hangen als een onweer dat bij vloed niet over de Schelde kon.

5

Rumoer in de gang. Een grillige streep biggelde langs de ruit omlaag; de dakgoot was al maanden lek. Gefluister, de achterdeur sloeg dicht, geblaf. Geblaf, binnen? Met Bach aan de lijn kwam Stan onze slaapkamer ingelopen.

'Vort met die hond, naar buiten, niet bij de kleine!' Opnieuw schuilde het meisje onder mijn hemd.

'Rustig Roosje, kalm,' Stan kuste me, hij rook naar onweer, 'ik hou Bach vannacht binnen, in de keuken, Bulder is weg.'

'Naar het front?'

'Ja.'

'Waarom niet allebei? Waar is Florine? Die d'r kat…'

'Florine heeft de mannen een voorstel gedaan.'

Onder mijn schedel ketste het alle kanten op -Florine-heeft-de-mannen-een-voorstel-gedaan-; we waren hier niet in Gent!

'Stan, Florine moet stoppen.'

Daar stond ze, op de drempel van mijn slaapkamer, als een levende Rubens, Venus, ingelijst en wel; haar glanzende Antwerpse hemd en bloes kletsnat, perfecte borsten waren rimpelige vlekken geworden. Kon pure zijde een oorlog overleven?

Dagenlang joeg ze in de stad op kleren die niemand anders in het dorp dragen zou. Een decolleté, strakke taille, zwierige rokken die net als de mannen om haar heen cirkelden, en hoge, hele hoge hakken waar ze wonderwel op uit de voeten kon; als Efje langsliep, draaiden alle hoofden mee.

Florines ogen zochten iets op de wand achter me toen ze zei: 'Luister, we hebben het volgende afgesproken.'

'Ik wil het niet horen!' siste ik.

'Ro-oos, luister, Bach blijft, voor de hondenkar. In ruil springt Stan af en toe bij als veldwachter aan de grens.'

Het werd stil. Terwijl ik sliep, hadden zij zaken gedaan. In mijn hoofd galmde het 'grens... doden-draad... milicien ..dood.'

'Stan, word jij veldwachter bij de draad?'

Deze blik was nieuw voor mij; trots, met de kin om-hoog keek hij me zwijgend aan.

'Ja, assistent-champetter,' fezelde Florine, 'patrouille-ren met Bach. En hij gaat schuttingen vlechten, van rog-gestro; de weg van het dorp naar de grens wordt afgezet.'

Ons Efje bleek goed op de hoogte. Als een ware sul-tan, ze las in Gent de Panorama, draaide ze haar natte haren tot een tulband en ontweek mijn blik. Stan ging schuttingen vlechten. Stan was verdomme vlasser en boer, geen koddebeier noch halfwas timmerman, hij wist niet hoe de hazen liepen, verre van. Vlechten, waar had hij in godsnaam nu weer 'ja' op gezegd? Mijn fami-lie schold op alles wat naar grenswacht rook. En Stan was Efje niet; de enige gelijkenis was 'Baeckelandt'. Stan zou niets doen wat niet door de beugel kon, nog nooit had hij een wapen gedragen, nog nooit een vlieg kwaad gedaan. Gespuis was geen partij voor hem.

Vader, als mijn vader dít te weten kwam... Ik hoor-de hem al zingen, luidkeels spottend en goed vals:

Wachter! Wat is er van de nacht
Heeft Duitschland weer het recht verkracht?
Een Zeppelin heeft in Engeland
Weer veertig kinderen omgebracht
In naam der menschelijkheid
Wachter, wat hebt gij nog gehoord?
Bleef het bij kindermoord?

6

Het was 6 uur in de ochtend want Stan kuste me wakker. Zijn hand gleed onder mijn hemd en bleef liggen op mijn linker borst. Die stond gespannen. Hij kneep erin, zachtjes. Het laken tussen ons in werd nat.

'Geef me het meisje, die heeft het nodig.'

'Ik ook, misschien wel harder,' fluisterde hij 'kom, eventjes Roosje, nu.'

Zijn wijsvinger tekende cirkels op mijn bovenarm. Ik kreeg kippenvel.

'Stanneman, geef me de kleine.'

Traag rechtte hij zijn rug en aarzelde op de rand van het bed, stond op met een veel te diepe zucht en pakte het meisje uit de wieg. Met een knipoog legde hij prutske tegen me aan en zei: 'Ontsnapt, maar voor eventjes.'

Zoals iedere morgen koerden op de nok van het dak de duiven, maar ze klonken anders. Zonder te kijken wist ik hoe hij in zijn overall gleed, de klompensokken aantrok, naar de deur liep en die stilletjes opende en sloot, alsof hij altijd weer terugkwam. Rituelen zetten de werkelijkheid op een zijspoor. Toen Stan de ovale houten deurknop aanraakte, jankte Bach in de keuken; het doffe geluid van de staart die tegen zijn broekspijpen sloeg bezorgde me een brok in de keel.

'Kssst beest, komaan, eten.'

In het streepje zonlicht door de kier in de gordijnen dansten stofdeeltjes een nerveuze dans. Straks zou Stan zich melden bij de wachtpost aan de draad, voor uitleg en afspraken. Bach moest mee. Bach miste Bulder en zou niet makkelijk gehoorzamen. Nog steeds rook hij overal zijn maat. De lege hondenren, het binnen slapen, het beest was van slag. En niet alleen het beest. Paniek overviel me door de snelle, korte ademstootjes naast me, ebde weg om even later opnieuw door mijn lijf te razen. Beesten misten beesten, mensen misten mensen, moeders misten moeders; misten Pruisen hun vaders?

Wat verwachtten die duivelse Pruisen van een veldwachter, van een brave ziel die van niets wist?

7

Bijna een jaar geleden vielen ze België binnen. Voor ik er erg in had waren ze overal. Het liet me koud. Kramp en misselijkheid tekenden mijn dagen, niet het nieuws over de moord op een kroonprins in Sarajevo of de dappere, maar zinloze tegenstand van het Belgische leger.

Die middag waren mijn buikkrampen zo hevig dat ik mijn handploeg achter moest laten op het land. Het was doodstil in de polder. Stan liep post en eieren met de honden. Boven de rogge trilde de lucht, het enige dat bewoog. Biddend hing een kiekendief tegen de helderblauwe lucht, als een kwade engel met vleugels van grijs-wit gestreepte lappen waar de zon dwars doorheen scheen. Het pad naar huis was langer dan anders en had diepe kloven, net als de oever van de stinkende sloot. Struikelend over de klonten klei goot ik de drinkpul leeg in mijn nek in plaats van het water op te drinken. Strak in het gelid vormden de populieren een erehaag tot vlak voor het erf. Ook daar hing een doodse stilte, zelfs de kippen bewogen niet toen ik steun zocht tegen hun gaas. In de stal liet ik me vallen op een baal stro. Lichamelijke pijn kon ik goed verdragen; werd het te erg, dan ging ik in mijn hoofd ergens anders heen. Nu was het anders, deze krampen betekenden blijvend verlies. Verlies van iets waarvan nog niemand wist dat ik het bezat, zelfs Stan niet. Stan keek nooit op de kalender, meer dan zon en maan had hij niet nodig; be-

halve, voor alle zekerheid, eens per jaar het bakje wijwa-
ter van Palmpasen. Aan de balk tegenover me hing Stans
familiestuk, een wijwatervat zonder wijwater. Alleen het
buxustakje erboven stak nog fris af tegen het beige-bruin
gedraaide koord dat geloof, hoop en liefde bij elkaar moest
houden. Maria en het kindje Jezus in een cocon van spin-
rag, dofgrijs van het stof, het bakje aan hun voeten groen
uitgeslagen van de alg. Hier viel geen enkele voorspraak
te verwachten. De hoogzwangere kat van Florine draaide
rondjes in het stro. Ondanks haar volle lijf leek ze bij ie-
der rondje haar staart in te halen. Wat zocht ze? Monter
hield ze mijn blik vast. Sommige dieren kwamen langs en
maakten zonder enige reden contact, maar deze tijger had
het op mijn plekje gemunt. De geur van carbolineum in de
stallen perste mijn maag tegen mijn slokdarm. Ik hees me-
zelf overeind en ging naar buiten, leunde kokhalzend op
de rand van de regenput, ging de hoek om naar het gemak.
Het deksel viel uit mijn handen, de dazen ronkten onver-
stoorbaar door. Toen ik ging zitten leek het alsof iemand
een dubbele knoop in mijn rugspieren legde en die knoop
testte door er een paar keer flink aan te trekken. Met mijn
handpalmen tegen de koele muur zette ik me schrap. Bij-
na ontsnapte een schreeuw. De schreeuw hield ik binnen,
maar diep onder me plofte iets neer. Even vielen de dazen
in de beerput stil. Door het hartje in de deur scheen de zon
brutaal naar binnen.

8

Het meisje verdween onder mijn hemd en begon gulzig aan een nieuwe dag. Ik knipperde met mijn ogen en zocht met mijn lippen haar kruintje.

'Pappa krijgt vandaag een nieuw pak; dat pak heet een uniform.'

Ik kroop dieper onder het laken, ik wilde haar zien.

'Een uniform, dat zijn kleren voor mensen die ergens bij horen. Als pappa thuiskomt in een uniform vindt iedereen hem speciaal; ik vind pappa goed in gewone kleren. Voortaan zien we hem van verre aankomen, zijn koperen knopen zullen schitteren in de zon. Pappa draagt ook een andere pet. Misschien herkennen we hem niet eens.'

9

Twaalf stuks van elk was het minimum aan serviesgoed dat je bij je trouwen meekreeg. Tenminste, als je familie een beetje in aanzien stond. Binnen de gemeenschap van Vlaamse keuterboeren was twaalf wel erg veel, laat staan van porselein. Stan liet dan ook met enige gêne toe dat ik mijn serviesgoed uit de kast haalde als er iets te vieren viel. Prachtig porselein was het, op ieder stuk een kleine, gouden lelie.

'Overdrijf het niet Roosje, dat zijn we hier niet gewend.'

Ik wist hoe ze erover dachten. De familie vond me te chique, Stan was binnen de boerenstand omhoog getrouwd. Ik snoerde hen de mond door me snel aan te passen, hanteerde de ploeg en de karn en kon er dus al-met-al nét mee door; mijn serviesgoed niet, ook al serveerde ik geen fazanten met de kont er nog aan. Het ging vooral om de lelie. Die lelie was een doorn in het oog van bompa.

'Hadden ze geen andere blommen in Olland? En dan ook nog van goud, zeg!'

Daar hadden mijn ouders niet bij stilgestaan. Op vaandels en vlaggen was de lelie het symbool van de vrede, voor de oude Grieken het symbool van de vruchtbaarheid, zo niet voor bompa; voor hem was het het wapen van de Franse koning en niets wat Frans was, deugde. Alleen als die gouden lelie zwom in de boter met een stuk van het beste varken er bovenop hoorde je bompa niet, behalve zijn gesmak. De familie had weer een speekselrijke middag beleefd. Schaarste was er bij ons niet, niet aan eten en niet aan nutteloze praat. Het 'goed dat we boeren' en 'breek de weckpotten niet' viel bij het afscheid meerdere keren. Content vertrokken ze. Stan had een dochter, soit, de stamhouder zou niet lang op zich laten wachten, ving ik in de keuken op. Alles was op gepaste wijze gevierd, zo niet van dienst, dan toch in uniform. Stan was veldwachter; de taferelen langs de draad beheersten alle nieuws, maar uit de manier waarop zij er die middag over praatten merkte je dat ze de gevolgen en gevaren, amper beseften. Ze hielden het champetterschap voor een erebaantje, naast de boerderij. Het enige wat bompa zorgen baarde was, dat Stan het op den duur net zo hoog in de bol zou krijgen als die aangetrouwde Hollanders. Een familie die op dit moment niet bestond, of in ieder geval een familie die werd doodgezwegen.

10

Stan was in vol ornaat met Bach aan de korte lijn naar de grens vertrokken. Bomma was gekomen en had zich kirrend in de moestuin onder de vlier geposteerd, de kinderwagen met het meisje binnen handbereik; bij deze hitte de enige geschikte plek voor een baby, vond zij.

'Naar buiten met die kleine. Nee, nee, niet bang zijn, die vlier houdt alles tegen,' zei ze met wiekende armen wat ruim in hun vel, 'onder een vlier kom je geen wesp of strontvlieg tegen, het is er beter dan binnen.'

Het was oorlog en een vlier beschermde mijn kind. De trossen blauwzwarte bessen haakten bijna in bomma's krullen. Ze hing boven de kinderwagen met een lach die haar voor eeuwig jong tekende. Jonge bessen en oude bessen; laat ons bomma maar schuiven. Haar boezem vief vooruit in een verschoten bloemetjesjurk, altijd klaar om te koesteren. Ze wipte de kinderwagen aan de stang op en neer, de vering kreunde. Ik zwaaide. Bomma zwaaide terug.

'Doe maar op het gemak,' riep ze me na.

Toen ik me omdraaide zag ik hoe ze het meisje uit de wagen pakte en boven haar hoofd tilde.

Wat gebeurde er aan de grens? Veel verhalen die de ronde deden geloofde ik niet of kon ik niet geloven. Op de rand van mijn kraambed had vrouw Schellekens samenzweerderig verteld dat Miel, haar man, vloekend maar braaf gehoorzaamde aan 'de zachte opeising'.

'De zachte opeising?'

'Ah ja, de Pruisen eisen ons privé-bos op. Voor een appel en een ei worden we gedwongen onze bomen te kappen voor palen voor de draad.' Al vertellende loerde ze naar de foto van mijn ouders. Ik wist wat ze vragen wou; in plaats daarvan zei ze: 'En dat in de zomer, stel u voor, alsof een boer dan niets anders te doen heeft.'

Haar lippen werden één lijn toen ze probeerde iets weg te slikken.

'Afijn, uiteindelijk kan hij niks anders doen, nu. Het hooi ligt op het land en daar blijft het, in de verre omtrek is geen meter ijzerdraad meer te koop om het op te binden.'

Als nergens meer ijzerdraad te krijgen was, dan moest het intussen een lange versperring zijn. Hoe liep Stan erbij? Wat deed hij? Hij vermoedde niet dat ik naar hem onderweg was. Over zijn keuzes, meer de keuzes van Florine, werden we het nooit eens. In onze gesprekken zat intussen net zoveel beweging als in volgevreten merels onder een kersenboom; als er al iets besproken werd. Neem Bach. De hond was zonder mij erin te kennen, geruild tegen een dubieus champetterschap. Weer had ik het nakijken.

'Stan toch,' had ik vol ongeloof gestameld toen hij me verbood op zoek te gaan naar een muziekvereniging.

'Dat doen de vrouwen hier niet.'

'Mijn hommel, ik kan niet zonder gepingel.'

'Het zal wennen, Roosje; we praten er niet meer over.'

Het lag hem in de mond bestorven: we praten er niet meer over. Mijn hommel ging de kast in, daar moest ik vrede mee hebben; ik zou geen snaar meer aanraken. Aan een jong kind, en al wat er nog kwam, had ik mijn handen vol en als je spon of sokken maasde, speelde je ook met draad.

Maar nu wilde ik met eigen ogen zien wat er aan de grens gaande was. Niemand hield me tegen. Langs de dreef kon ik, beschermd door de knotwilgen, ongezien het dorp naderen. Een windje liet de tarwe fluisteren, de velden geurden zomers, naar lauw hooi en veldbloemen; als ik snoof met de ogen dicht, was ik gelukkig. Als ik heel diep snoof, rook het naar thuis.

Aan de horizon zag ik een hobbel, een bult die daar niet eerder was. Opgewaaid hooi misschien? Het achtergebleven hooi waar vrouw Schellekens het over had? Vóór het hooi bewoog iets, iets gekleurds, geen beest, nee, het was alsof iemand onder de bult vandaan kroop. Nieuwsgierig nam ik een aanloop, zette af en sprong. Nergens aan gedacht. Du moment dat ik sprong wist ik dat ik de overkant van de sloot niet zou halen. Hoe lenig ook, een bevalling was een ramp voor je lijf. Vanuit de greppel klauterde ik zachtjes vloekend langs de kant omhoog. De sloot stond droog en stonk. Een braam kraste mijn been open. Schrammen, daar kreeg ik vragen over. Onder het lopen depte ik de straaltjes bloed met de zoom van mijn rok. De figuur in de verte rechtte zich en hief een hand boven de ogen. Een vrouw. Ik versnelde, even dacht ik Mathilde te herkennen, maar wat moest die hier? Het was Mathilde, de cafébazin van op de grens. Eén en al natuurmens, consequent weigerde ze iets of iemand op te sluiten, zelfs de wc in haar café kon niet op slot, 'fluit een deuntje als ge d'r op zit, of zorg ervoor dat we u ruiken.' Ze bevrijdde vliegen uit een web. De zatste, lastigste mannen kalmeerde ze met een enkel woord. Het verhaal ging dat ze bovennatuurlijke gaven bezat. Ze had een verleden in Gent en in Kortrijk. Over Kortrijk kon ze prachtig vertellen, over Gent repte ze in het café met geen woord. Over het schone Gent gingen lelijke verhalen, die kenden we van Florine. Gent was één groot bordeel. Armoe maakte van vrouwen hoeren; de 'microbenboulevard' was in de verre omtrek berucht. In Kortrijk daarentegen waren de straten met wijwater gewassen, zoveel was zeker.

Mathilde kwam naar me toegelopen. De pas geschoren schapen vluchtten alle kanten op. Kaalgeschoren en in de felle zon, daar konden schapen niet tegen. Het groepje bomen dat schaduw moest bieden was gekapt. Op de tronken wapperde een wollen deken.

'Mathilde!'

'Roos?'

Een bos haren als gerafeld vlastouw omlijstte Mathildes tanige gezicht, haar flodderjurk vol gras- en zweetvlekken viel veel te ruim; twintig nagels met rouwrandjes en op haar handen dikke lagen eelt. Uiterlijk was er van de mooie, trotse cafébazin niets meer over, alleen haar ogen stonden nog net zo helder als altijd.

'Wat doe jij híer? Heb je Stan gezien, de champetter in zijn uniform? Hoe gaat het met mijn opa?

'Eén ding tegelijk, kind.'

Ze pakte de deken en gebaarde me mee te lopen.

'Ons café is in de patrouilleerzone van de draad terechtgekomen.'

'Weet ik, weet ik, er werd veel over gepraat en ze zeiden dat je zoek was, misschien naar Holland.'

Met de handen in de zij bleef ze staan en keek me aan.

'Wel, ik ben niet zoek, ik trek mijn eigen plan. De Pruisen kwamen de boel vorderen, verzet was zinloos, had Raf nog geleefd, hij had ze met zijn jachtgeweer van de koer geschoten.'

Ze sloeg een arm om me heen.

'Kom, ik laat je mijn nieuwe buitenverblijf zien.'

De mussen vielen dood van het dak en een pomp was ver weg... ik liet haar begaan. We naderden de hobbel, ernaast stond een kruiwagen met zoden en een schop, Mathilde wees.

'Voor mijn nieuwe dak.'

Ze groef zich in, plag voor plag bouwde ze haar hut, hij had zelfs al een deurgat en een raam.

'Een raam voor de trek, het moet bewegen in huis.' Ze schaterde, maar haar lach klonk anders dan vroeger. 'Én voor het licht, want zonder licht en lucht zijn we niks niemendal.'

Zonder licht en lucht zijn we niks niemendal, Mathilde wist het ook.

We bukten en gingen naar binnen. De grond was vochtig, hoog in mijn neus nestelde zich de muffe geur van zwammen. Mijn maag draaide om, ik zocht steun tegen het chique porseleinen tafeltje, een erfstuk van haar moeders kant en Mathildes trots, ze had het gered uit de klauwen van een Pruis. Wat een dak moest worden was nu nog een takkenbos waaruit rupsen en pissebedden voor mijn voeten neervielen. Op de dekenkist, naast een foto van Raf, pruttelde iets op een petroleumstel, niet te ruiken wat. In de dekenkist Mathildes verleden, heden en toekomst. Er stond iets wat een bed moest zijn. Ik herkende de glazenkast uit het café. De kast lag op haar rug, de deuren en de plankjes waren eruit, op de bodem lag stro. In de hoek van het bed stond

Mathildes mariabeeld. De goudkleurige verf flonkerde in het enige lichtstraaltje dat naar binnen viel. Vanonder een azuurblauwe mantel wenkten haar handen me, Maria keek devoot omlaag met aan haar duim een draad met een spinnetje.

'Kijk', zei Mathilde, terwijl ze de deken secuur over haar bed drapeerde, 'kijk, mijn chaperonne wilde mee, dat kon ik haar niet weigeren.' Haar stem klonk gedempt, de volle hut tolde in het rond.

'Ga zitten Roos, je hebt je kindje gekregen zo te zien, wat is het geworden?'

'Een meisje, een heel klein meisje, mager maar gezond.'

Mathilde knikte vriendelijk, gereserveerd, haar ongewilde kinderloosheid speelde haar parten op een moment als dit, vermoedde ik.

'En ze lacht al,' zei ik, om de pijnlijke stilte te doorbreken. Het stro prikte in mijn billen.

'Weten je ouders ervan?'

'Nog niet, Florine wou het wel proberen, ze heeft contacten onder de mannen van de *Landsturm*, maar...'; ik durfde het verhaal niet af te maken.

'Maar wat?'

Vooruit, voorzichtig.

'Haar kat liep haar achterna en is blijven hangen in de draad.'

'Kind toch, dat heb ik gezien. Als het gaat schemeren doe ik mijn wandelingetje, mijn ronde met de vleermuizen. Van een afstand zag ik dat een Pruis een dode kat van de versperring peuterde, met een stok; een stok met aan het uiteinde een fles. Glas houdt, naar het schijnt, het elektriek of hoe heet dat, tegen. Toen Florine bij de draad kwam was er van haar kat nog amper iets over, totaal verkoold.' Voor het eerst toonde Mathilde emotie. 'Het was niet om aan te zien, dat beestje. De Pruis van dienst trok verschrikkelijk van leer, riep dat het maar een kat was. Het stuk chagrijn joeg Florine de stuipen op het lijf met een verhaal over mensen, *Fräulein*, over mensen in plaats van over katten. Die ochtend had een man zijn zoontje dat spelenderwijs tot aan de draad gesukkeld was, proberen te redden en was voor de ogen van zijn kind doodgebleven.'

Mijn mond viel open, de woorden bestierven op mijn lippen.

'We zijn gekooid Roos en god weet wanneer de deuren van de kooi weer opengaan.'

'Ik wil mijn opa prutske tonen, ze heeft de ogen van oma.'

'Prutske?'

'Ja, ze is zo klein, ze is zeldzaam klein.'

'Denk niet teveel aan je opa, kind.' Mathilde klonk niet overtuigend.

'Ik moet mijn ouders zien. Dat gaat toch wel lukken?'

'Mijn glazen bol is kapot.' Ze draaide met haar ogen en gebaarde van 'ssst' met haar wijsvinger op de lippen.

'Opa, vertel me over opa.'

'Jouw opa zit weer op de bewaarschool, de muizen knagen aan zijn woorden.'

'Zie, ik móét erheen. Let op wat er hier gebeurt, ik kom weerom en neem eten voor je mee.'

'Doe geen moeite. Wees gerust, ik zit hier 's avonds niet alleen maar sterren te tellen.'

De rand van het bed sneed in mijn kuiten; ik ging naar buiten, hapte frisse lucht en liep met de bomen óp, naar de grens. Eigenlijk had mijn uitstap al te lang geduurd. Toen ik omkeek riep Mathilde: 'Kom terug.'

'Ze-ker!', riep ik, mijn stem sloeg over, de kudde naakte schapen staarde me onbeweeglijk aan. Ik hoorde enkel het ritselen van mijn voetstappen in het hooi. Opschieten nu, mijn meisje wachtte. In de wei was het uitzicht op de grens beter dan in de dreef. Zover je kijken kon fonkelden drie rijen draad; de verhalen klopten. Rond de houten barak geen teken van leven; dat moest het *Schalthaus* zijn waar Stan het over had, een kot vol apparaten van magere Hein zelve. Maar geen gevlochten schutting of Stan te zien, tot de deur van de barak kierde; nee, geen Stan, wel gegrinnik. Ik maakte me smal achter de knotwilg, het gegrinnik van één werd geproest van twee, die stem. Een warme scheut vulde mijn borsten.

'Danke,' lispelde Florine aan de andere kant van de boom, *'komme bald...'*

'Tschüs.'

Voetstappen stierven weg. Vanachter mijn knotwilg keek ik tot Florine uit het zicht was en keerde om, prutske moest eten.

11

Op het erf reed bomma rondjes met de kinderwagen. Buiten adem legde ik het meisje aan; een smak, een snik, rust.

'Bomma, Florine gezien?'

'Zojuist ja.'

'En, nog nieuws?'

'Niets, nee, niets bijzonders.'

'Dank u voor vanmiddag, bomma.'

Ze kuste het meisje op haar voorhoofd en knipoogde naar me.

'Al goed, je roept maar.'

Rond de baby hing een geur van sunligthzeep en suikerwafels; bomma rook anders dan Mathilde. Was bomma als het erop aankwam net zo sterk? Kon die haar eigen plan trekken? Vermoedelijk, maar ze zou nooit de kans krijgen.

Zoals Mathilde er nu bij zat, intens droevig vond ik het, maar zo strijdlustig. Mathilde en haar mariabeeld. In betere tijden pronkten ze zij aan zij voor het raam van haar café. Geflankeerd door brandende kaarsen en dahlia's zagen de dames geregeld een processie aan zich voorbij trekken, waarna de ene weer plaatsnam op het dressoir en de andere achter de toog.

12

*Behendig stuurde mijn moeder de stof onder het ratelende
Singervoetje door. Ze hoorde me niet. Had ze geen hoofd-
pijn? Was ze niet moe? Nooit als de nonnen een appèl op
haar deden. Op de keukentafel lagen rollen stof in geel,
lila en zachtgroen om verknipt te worden tot engelenjur-
ken. Hoe bedanken we de Heilige Maagd voor een rijke oogst? En al was de oogst karig, dan nog trokken we
op Maria Hemelvaart zingend door de versierde straten.
Rond de mannen hing niet de geur van fluitjesbier en
zweet, maar van wierook.*

*Ik wist wat die middag komen zou, deed zachtjes een
stap naar achter en sloot ongezien de deur. De hond jankte.*

*'Kssst, af!' Hij likte mijn kuiten; honden zijn gevoelige
beesten.*

*Ik rende het erf over naar de boomgaard, voor rijpe pe-
ren en voor Louis. De zoon van onze knecht was absoluut
verboden. Crapuul, volgens mijn vader, volk dat alleen
met Pasen in de kerk kwam en op de communisten stemde.
Als het aan mijn vader lag, zette hij geen voet bij ons in
huis; voor Louis en mij was de boomgaard voldoende.*

'Róós, Roosje?'

Mijn moeder, en veel te vroeg.

'Kom, tijd om te passen.'

*Vandaag had zij een goed humeur. Als moeder lachte
was ze mooi. Zo wilde ik later ook zijn, lachend mooi,*

maar zonder nonnen in mijn leven. Bij de deur wachtte
ze met een lila lap over haar arm. Eindelijk werd ik een
engel. Aan de rail hingen vijf jurken met papiertjes met
de namen van mijn vriendinnen erop. Mijn vriendinnen,
die ook niet in de processie wilden.

'Roos, kleed je uit, werk eens méé kind!'

Ora pro nobis, kinderen hadden niks te willen. Zometeen
zou ik moeten graven in de tuin, diep, wel tot aan het wit-
te zand. En emmers vullen, alle emmers die voorhanden
waren. Het witte zand moest in de vroege morgen van de
processie naar de straat. Op haar knieën op een versleten
kussen maakte mijn moeder ruiten, harten en cirkels van
zand en stak daar verse bloemen in om ze binnen een uur
te laten vertrappen door meneer pastoor en zijn gevolg. Het
gat in de tuin werd gevuld met afval.

'Roosje, kom aan!'

Ik trok mijn bloes uit en liet mijn rok zakken. De jurk
gleed over mijn schouders, moeder had druppels op haar
voorhoofd. Uit haar mondhoek staken kopspelden, het leek
een dikke wrat op haar bovenlip. Ze pakte de stof tussen
duim en wijsvinger en bewoog die over mijn schouders.
Met haar hoofd schuin mompelde ze dat het goed was, de
wrat bewoog mee. Stel dat ze die spelden inslikte!

Moeder hoestte en werd vuurrood, hing voorover en
spuwde de spelden op het tafelzeil.

'Wat ben je mooi!' Haar adem versnelde. 'Kijk eens,
kijk eens in de spiegel... En je krijgt krullen, ja ja, mor-
genvroeg heb je krullen.'

Zwijgend liet ik haar begaan, ik dacht aan de hete
krultang en rilde. Ze trok de jurk weer uit en spelde met
bevende handen 'Roos' op de engelenmouw. Ik bungelde
naast mijn vriendinnen, maar niet voor lang.

13

Zijn vriendelijke hoofd rustte op zijn handen. Met zijn ellebogen leunend op de halve deur, stond hij al een poos naar mij te kijken. Ik zag het niet, schilde onverstoorbaar verder. We kenden dit spelletje en we speelden het graag.

'Wat schaft de pot?'

Stan schopte zijn klompen uit en kwam binnen, pakte de wasstok en terwijl hij me schuin aankeek, tilde hij het deksel van de ketel.

'Aha!', hij roerde en snoof als hing hij bij tien graden vorst boven een pan snert.

'Waar heb je zin in?' vroeg ik.

Zijn voorhoofd rimpelde, hij tuitte zijn lippen. De keuken vulde zich met de weeë geur van lauw sodawater; ik deed het raam open. De kleren opvissend en weer onderduwend floot hij zijn 'ik-ga-iets-heel-belangrijks-zeggen-deuntje' en hield aan het uiteinde van de wasstok een jurkje omhoog.

'Mijn lieve Roos, het wordt zoetjesaan tijd voor een kleine *broek,*' sprak hij ernstig en duwde het jurkje weer onder. Zachtjes neuriënd zette hij de stok tegen het wasbord. Mijn lief was in de stemming, zoveel was zeker; vanavond was er geen ontkomen aan. In een flits telde ik de dagen, zijn aanval was slecht gepland.

'Jongens moeten in het leger,' wierp ik tegen. '*Wij* jongens maken ons overal nuttig,' was zijn antwoord.

Ik had een ander idee van wat nuttig was, maar hield mijn mond. Een aardappel landde spetterend in de pan met water.

'De oorlog zal niet lang duren, met zoveel vrijwilligers.'

'Stan, ze hebben er al eens eerder táchtig jaar over gedaan.'

De paniek in mijn stem verraste me; het gistte onder mijn schedeldak. Wie baarde er verdomme kinderen voor de loopgraven? Ik huilde, het wegslikken lukte niet langer. Stan keek me aan met die hulpeloze, trouwe hondenogen die me razend maakten en alleen maar harder deden huilen.

'Ik haal appels, kom, we bakken goudrenetten.' En weg was hij, op de vlucht voor mij en mijn tranen. Naar buiten, om zich nuttig te maken. Ik pompte een beker vol water en dronk die in één teug leeg. En nog een, traag nu, dat kalmeerde. In de bodem van de beker zat een roestige ster, het email was kapot gesprongen, beter weggooien. Ik bedacht me, hier gooiden ze niks weg... En ik wou geen appelmoes! Nee, geen appels, geen peren en alleszins geen tweede kind, nu. Het enige wat ik wou was te weten komen wat Stan precies uitvoerde voor de Pruisen. Hij liet er niets over los. Kon het zijn dat hij Mathildes hut nog steeds niet ontdekt had? Dat zou hij toch vertellen? Want zoiets was nieuws en hoe meer incidenten, des te belangrijker de champetter die die incidenten moest bezweren.

De champetter stond voor het open keukenraam met een bak goudrenetten. Zijn schouders en borst oogden in kaki smaller dan in zijn uniform, de lijnen in zijn gezicht zachter.

'Kom Stan, kom in godsnaam naar binnen.'

Mijn ademhaling was onder controle, in mijn hoofd stuiterden de vragen alle kanten op. Ik deed het deksel weer op de ketel.

'Laat die appels,' zei ik toen hij binnenkwam, 'ik wil koffie.'

'Zozo,' mompelde hij, 'is het zondag vandaag?'

Met de koffiemolen stevig tussen mijn knieën geklemd maalde ik het bakje vol. De geur van verse maling verdreef de weëe soda en het malen bood me de kans even niet te antwoorden en wel te denken. Ik moest nieuwsgierig zijn, of beter, oprechte belangstelling tonen, het mocht in geen geval op een kruisverhoor lijken.

'Wat was dat voor schel gistermiddag? Tot hier in huis te horen.'

Stan trok één wenkbrauw op.

'Liepen er smokkelaars?'

Hij krabde in zijn haar en zweeg.

'Toch geen smokkelaars overdag?' probeerde ik nog eens.

Rechtstreekse vragen kon hij moeilijk ontwijken.

'Ik heb ze in het *Schalthaus* moeten beloven te zwijgen,' zei hij en draaide ongemakkelijk op zijn stoel.

'Je hoeft me ook niet álles te vertellen; vanwaar ineens die bel? De koning der Belgen deed zijn ronde te paard?'

'Spotten is ongepast, Roos!' Tot diep in zijn nek kleurden rode vlekken. 'Je hebt er geen idee van hoe het daar gaat,' fluisterde hij kwaad.

'Dat klopt,' loog ik deels, 'dus wordt het tijd dat ik weet wat je daar allemaal meemaakt, ik ben je vrouw.'

Hij slikte en stak van wal alsof hij erop gewacht had zijn verhaal te kunnen doen. In een Mariakapelleke aan een boom hadden de Pruisen een bel gemonteerd. Die bel moest iedere aanraking met de elektrische draad signaleren. Ze waren fier als een gieter op hun vinding en hadden gisteren al meteen beet; voortaan was het afgelopen met die spelende kinderen uit het dorp, zo brutaal als de beul waren ze. Stan moest er niet aan denken dat hij, als champetter, bij een van hun moeders de boodschap moest brengen dat haar kind, verkoold als de kat van Florine, aan de draad hing. Wat ze misdeden? Hij hapte naar adem en ging door. Wel, ze waren altijd met zijn vieren, naar schatting uit het laatste leerjaar. Plat op hun buik gooiden ze lange grasprieten tegen de draad om dan neer te ploffen in het hoge gras en te gaan liggen daveren van angst voor de blauwe vlammetjes en opspattende vonken. En altijd waren de Pruisen te laat om ze te pakken.

'Als je weet wie het zijn, dan kun je ze toch thuis opzoeken,' zei ik.

Het was nog even wennen aan zijn nieuwe rol. Wie het precies waren was slecht te zien, ze kwamen immers in het schemerdonker, des te groter het effect.

'Ik heb Vanneste gewaarschuwd,' zei Stan streng, 'en de oude meester heeft het zich aangetrokken.'

Vanneste wist meteen wie die apen waren, maar wilde niet alleen de overtreders maar al zijn leerlingen waarschuwen voor dat gevaarlijke nieuwe, voor die e-lek-tri-ci-teit. Vorige week had hij met een klas het dodenhuisje bezocht.

'Staat daar een dodenhuisje?'

'Precies zoals op het kerkhof.'

- Het werd wellicht ook een kerkhof -

In het dodenhuisje had een Fransman gelegen die niet begrepen had dat de grensversperring onder stroom stond. 's Nachts op patrouille hadden ze hem dood langs de draad gevonden.

'Een taalprobleem,' zei ik.

Stan keek me verstoord aan en ratelde vervolgens door. Hij en Vanneste hadden de kinderen twéé aan twéé aan de hand mee naar binnen genomen en de grootste Pruis met het grootste geweer over de schouder bij de wachtende kinderen buiten geposteerd. De kinderen hadden bevend het hoofd afgewend en jammerden stuk voor stuk bij het zien van het zwartgeblakerde gezicht. De stank daarbinnen was niet te harden geweest, het schoonschroeien van een pas geslacht varken was er niks bij. En toch lagen er de volgende dag opnieuw vier, als motten aangetrokken door het licht van een olielamp, te donderen in het gras. De bel zou ze leren; ze waren gepakt en schreeuwend om hun moeder in het dodenhuisje opgesloten, bij de verbrande lijken. Stan had hun ouders geroepen en de kinderen overgedragen. 'Ze hadden hem geprezen,' zei hij, 'en bedankt voor het verantwoordelijke werk dat hij deed.' Voortaan kon hij in deze moeilijke tijden ook op hen rekenen, hadden de vaders beloofd.

'Ik hoorde van bomma iets over passeurs.'

'Daar weet ik niets van,' zei hij.

'En de smokkelaars?'

'Ik zou het niet weten.' Opnieuw schoot zijn hals vol vlekken.

Dit kruisverhoor had weinig zin, ik besloot snel weer bij Mathilde langs te gaan.

14

Op mijn knieën voor de kleerkast rook ik thuis; ik rook
de overkant. Met mijn neus in de wollen deken zag ik
vanuit mijn ooghoeken honderden gaatjes in de bodem
van de kleerkast. Mijn hart sloeg over. Houtworm! Ke-
vers knaagden aan mijn hommel, het ongedierte was
massaal de klankkast binnengedrongen en vrat zich vol
met wat muziek had moeten worden. Beroerde ik één
snaar, dan viel de hommel in stukken. Woede joeg de
tranen in mijn ogen. Voorzichtig tilde ik de deken met
aangevreten inhoud op en legde die naast het meisje.
Prutske lag midden op het bed in onze kuil en volgde
iedere beweging.

'Nou gaan we wat beleven,' mompelde ik. Zij antwoordde met kirrende geluidjes. Zonder te durven
kijken deed ik de deken opzij. Terwijl ik de klankkast
streelde bleef mijn blik gericht op het meisje. Het hout
voelde glad. Ik ademde langzaam uit. Mijn vingertoppen
drukten harder en seinden geen gaatjes door. Toen ik het
instrument oppakte en bij het raam hield, glansde het
hout en blonken de snaren. De wollen deken had mijn
hommel beschermd tegen ongedierte en bompa. Nog
nooit speelde ik hier, nog nooit had ik voluit gezongen.
Bang, Stan had me bang gemaakt. Vrouwen die muziek
maakten deugden niet, volgens bompa. Muziek was een
mannenzaak. In de kerk, het leger, in de harmonie, van

deur tot deur desnoods voor een boterham met spek of een soepkieken: mannen maakten muziek, vrouwen niet.

Een week voor ons trouwen, we losten de kar met mijn inboedel, stond bompa ineens voor me. In het zweet, recht van het maaiveld met de zeis nog over zijn schouder, sprak hij afgemeten: 'Die krabkas van u wil ik hier nooit ofte nimmer horen!'

Hij keek erbij alsof de hond in zijn klompen piste. Ik vertelde helemaal niets aan niemand omdat ik dacht dat geen mens me geloven zou. Bompa was gezien in het dorp, zijn bedenkelijke humor over vrouwen en zijn halve waarheden deden het goed op zondag aan de toog. Niemand sprak hem aan op het doen en laten van Florine. Zowat dagelijks kwam hij op de pastorie. Dikke vrienden waren het, even oud, dezelfde passies, Onze Lieve Heer en Jenever; een mens was een man, tenzij het tegendeel bewezen. De avonden dat de meid naar haar moeder was deelden ze een fles oude klare. Wilde je als keuterboer bij meneer pastoor binnen geraken, dan moest je iets extra's meenemen. Het waren ongetwijfeld bompa's verhalen, niet in het minst door de dramatische saus waarmee ze werden opgediend; als bompa floot, dan loog hij nog. Die droogpruim van een Schellekens met al zijn land en weien had het nakijken, zo snoefde hij. Een goed luisteraar herkende vanaf de kansel regelmatig flarden van bompa's vertellingen, meestal aangehaald ter duiding van wat 'zonde' was.

Nu was het mijn beurt om te vertellen, niet langer bang te zijn; ik ging voluit spelen voor het meisje.

'Wij gaan muziek maken, in de schuur.'

Wat nu, geen twijfel mogelijk, toen ik verhuisde zat mijn tokkelaartje bovenin mijn hommel tussen de snaren geklemd.

'Kom, zij vieren feest, wij ook!' Op de trouwerij in de boomgaard verderop waren zogende moeders niet welkom.

'Roos, je kunt die kleine toch niet méénemen aan tafel…' Zo werd voor mij besloten.

Ik schudde de deken uit boven het bed; behalve neerdwarrelend stof, niets. Toen ze door de plotse wind met haar oogjes knipperde, was prutske nog mooier en zachter. Maar waar was het tokkelaartje van Fien? Fien was mijn favoriete tante, de jongste zus van heeroom, verre van rooms. Heeroom die in Brazilië de blijde boodschap verkondigde aan al wie het horen wou en ook aan wie niet. Vorig jaar was hij thuisgekomen in een houten jas, doodgestoken, niet door de indianen maar door de muggen. In de schaarse boedel die zijn lijkkist vergezelde zat een tokkelaartje gemaakt van Braziliaanse schildpad. Fien deed het me cadeau. Zo een had niemand. En nu was het kwijt. Ik opende de deur van de kleerkast en voelde in de broekzakken van Stan. Trillend sloot ik de kast.

'We verzinnen wel iets.' Ik boog me over het meisje en tilde haar op. Happend in de katoen zocht ze naar eten en protesteerde luidkeels toen mijn bloes dichtbleef. Mijn duim wandelde over de snaren, ze viel stil. Met de hommel onder de ene en het meisje op de andere arm liep ik naar buiten. Waar vond ik iets geschikts om mee te tokkelen? Langs het tuinpad een hele trits molshopen. De beestjes hadden zich de laatste weken flink laten gelden.

'Maak dat je wegkomt, fluwelen gravers, het duurt niet lang of jullie zijn er geweest!'

Fijnzinnig als hij was zag boer Schellekens in het chloorgas van de loopgraven de oplossing voor zijn

mollenplaag. Het nieuws uit Boezinge, waar bloedspu-
wende soldaten het kanaal insprongen, bood de boer
een nieuwe kijk op ongediertebestrijding.

Tussen de hopen vers omgewoelde aarde lagen ganzenveren. Ganzen, ik hield er niet van. Veel herrie om
niks en als je niet uitkeek rukten ze met hun snavel de
rok van je gat. Nu liepen ze aan het einde van het pad
te blazen naar een kat en bewezen me ongevraagd een
dienst. Ik zette de hommel tegen een boom en zocht
de veer met de dikste pen, rolde die een paar keer tussen duim en wijsvinger en besloot dat ze mee mocht.
En nog een, als reserve. Met de ganzenveren tussen de
snaren zag mijn hommel er feestelijk uit. Neuriënd liep
ik recht op mijn doel af naar de stal en probeerde met
mijn wijsvinger de grendel opzij te schuiven; die zat
klem. Met mijn knie tegen de deur maakte ik ruimte en
tikte hem los. De deur ging open. Midden op de dorsvloer stond een kruiwagen met hooi, de riek er rechtop in. Waar liet ik prutske? Met een hand zeulde ik
een pak stro dichterbij; een luisterzetel voor het meisje,
beneden. Mijn hommel zou boven, op de houten vliering, mooier en voller klinken dan hier. Stans vliering
als klankkast.

Neuriënd schikte ik het stro. Niets, helemaal niets was
goed genoeg voor een eerste kennismaking met muziek.
Ik legde haar neer, ze spartelde, het stro prikte. De kruiwagen! Met kracht stootte ik de riek in de strobalen zoals ik dat Stan altijd zag doen, liefst er dwars doorheen.
Veldmuizen vluchtten alle kanten op. Het verse hooi in
de kruiwagen was zacht, de zomerse geur ontsnapte toen
ik prutske erin legde. Niezend en kletsnat van het zweet
klom ik de ladder op, de spijlen door de mannenklompen
uitgesleten. Op wat resten hooi en half vergane tabaks-

zakken na, was de vliering leeg. Bijna boven schoof ik mijn hommel aan de kant en hees mezelf op de planken. Mijn afzet was te fors, de ladder gleed weg en viel. Dat werd bungelen straks, niet voor het eerst. Zodra ik buiten haar blikveld was begon het meisje te krijsen. Over de rand hangend zwaaide ik. Zinloos, ze had haar ogen vol tranen, en met ogen vol tranen ben je zo goed als blind. Ik pakte de hommel, drukte de snaren op het hout, koos de dikste ganzenveer en liep er traag mee langs de snaren. Ping, ping-ping, ping; in de kruiwagen werd het stil. Haar natte oogjes hechtten zich aan de vliering. Geschrokken vlogen zwaluwen kwetterend onder de balken vandaan naar de overkant. Ik zong en tokkelde. Bij alle kwalen van hoofd en hart: ping! Ik tokkelde en zong. Geen beter medicijn voor het hart dan prutske en muziek. Ping, ping!

Daar was -ping- eens een mannetje,
dat was -ping- niet wijs,
Dat bouwde -ping-ping- zijn huisje al op 't ijs;
't Begon -ping- te dooien,
-ping- maar niet te vriezen,-ping-
Toen moest -ping-ping- dat mannetje zijn huisje
verliezen.
-ping-

Alles in en rond me trilde. In de kruiwagen lag het meisje doodstil, de armpjes wijd. Zodra ik stopte leek het alsof ze met armen en benen tegelijk riep om meer. Du moment dat ik tokkelde was ze weer doodstil. Geen idee hoe lang ik dit spel al speelde toen de schuurdeur traag openging. Licht viel op het meisje. Vanuit mijn ooghoeken zag ik Stan. Waar was een mens zonder ooghoeken? Ik bleef tokkelen. Stan in uniform vulde de deurpost en bekeek fronsend het tafereel. Toen liep hij naar binnen en zette de ladder rechtop, keek naar boven en riep:

'Roosje, Roosje toch, juist op tijd gered!'

Ik speelde door. Hier hoefde niemand gered te worden.

15

Op foto's uit heerooms boedel had ik gezien hoe de
Indiaanse vrouwen op het Braziliaanse boerenland hun
kinderen in een draagdoek op hun lijf droegen; het leek
me praktisch en bovenal behaaglijk voor allebei. Fientje
had me één zo'n plaat meegegeven die ik bij thuiskomst
tussen de latjes van de keukenkast klemde, altijd in het
zicht. De foto was vaag en grijs, toch zag ik moeiteloos kleuren. Wie kan dagdromen verveelt zich nooit.
Ik deed het graag en veel, dromen. Over ver, erg ver
weg. Intussen was de foto door het vocht zo gaan krullen, dat moeder en kind uit zicht verdwenen waren en
het handschrift van heeroom achterop, zichtbaar werd.
'Santarém 1911' stond er, in verbleekte inkt. Spijtig
dat heeroom het verhaal nooit meer zelf vertellen zou.
Ik pakte de foto en plooide het papier met beide handen recht. Zo'n draagdoek was snel gemaakt. Er was
weinig voor nodig om prutske en mij samen tussen de
bieten te zien floreren. Ook bomma zou het prachtig
vinden: 'Wat een vondst, Roos toch, wat een vondst!',
zou ze uitroepen, 'echt iets voor jou.' Een bezoek aan
Mathilde kon dienen als proef. Bovendien had ik dan
mijn handen vrij voor de sprong over de sloot, het spek
en de melk. Mathilde zo verrassen, ik kreeg het warm
en bleef turen naar de foto; de Indiaanse was alleen van
opzij te zien. De doek liep over haar buik naar achteren, dan kruiselings over haar rug via de schouders weer

naar voren, eindigend in een knoop. Dat betekende meer dan de lengte van een enkel laken. Ik ging naar de slaapkamer, liep op mijn tenen langs het slapende meisje en pakte een laken uit de linnenkast, eenpersoons, nieuw, nog in het papier. Op de terugweg griste ik *Villa des Roses* van mijn nachtkastje, net zwaar genoeg om de foto mee te pletten. De roman was het laatste cadeau van mijn moeder voor ik naar Vlaanderen vertrok. Ze had geen idee van het verhaal, ze gunde me de titel. Nooit zei ze: 'Niet doen, te snel, te jong, blijf hier.' Ze liet mijn vader razen, greep alleen in als zijn razernij haar te lang duurde. Eén opmerking was voldoende: 'Iets vergeten, pappa?' En hij zweeg. Moeders… Met de tanden in mijn onderlip schoof ik de foto onder het boek, spreidde het laken op tafel en zette er precies in het midden de schaar in, knipte één schaarlengte, pakte beide punten en scheurde het katoen zonder te aarzelen in tweeën. Toen ik het deksel van de naaimachine tilde, hoorde ik mezelf zingen. De naad moest veilig zijn, meer dan een keer doorgestikt. Ik spelde de beide helften aan elkaar zoals mijn moeder me dat ooit met engelengeduld geleerd had en trapte naald en draad in rap tempo door de vouw. De naald brak op een kopspeld en sprong de keuken in, onvindbaar. Stan op zijn blote voeten, straks goed zoeken. Onderin de naaimand zat een zwart envelopje met een ruime voorraad naalden van klein naar groot. Ik drukte de nieuwe naald achter het voetje, likte aan het garen zodat het in een gebaar door het kleine oog glipte, trok eraan en trapte, Roos had haast. Een keer heen, de stof omdraaien en weer terug, en nog eens; ik beet de draden door en sneed in mijn tong; de smaak van bloed. Het was te verwachten, prutske, door mij wakker gerateld wou ze eten, ik kon meteen de draagdoek uitproberen. In een hand een beker melk en de nieuwe aanwinst naar Indiaans model rond mijn lijf geknoopt, liep ik de slaapkamer in. Ik voelde me Julius Ceasar gelijk, boog diep, maakte met de beker het 'santé'-gebaar naar mijn dochter en dronk de melk tot de laatste druppel op.

'Pruts, draperieën zijn een kenmerk van beschaving, het is maar dat je het weet.' Met de rug van mijn hand wreef ik mijn mond schoon. De ogen van het meisje glinsterden toen ik haar neuriënd uit de wieg tilde en in de draagdoek hing. Door iets geheel buiten mij om ging mijn geneurie als vanzelf over in gesnotter. Ik haatte mijn gejank en sprak mezelf streng toe om wat ik eigenlijk wou en steeds niet deed. Het was alsof ze de spanning voelde; ze verroerde zich niet en was tevreden met haar knuist. Geen idee hoe lang ik al uit het raam stond te staren toen Stan geruisloos binnenkwam en ineens achter me stond.

'Wat voeren mijn vrouwen hier uit?'

Zijn gezicht verstrakte, hij monsterde me van top tot teen, maar zei niets; door dit zwijgen werd de stilte in de slaapkamer nog beklemmender. Op de rand van het bed keek hij hoe het meisje zich liet verschonen zonder ons ritueel van lachen en gekir. Met de draagdoek nog rond mijn lijf ging ik liggen en voedde haar. Stans ogen lieten ons geen moment los. Het moet er curieus hebben uitgezien, des te vreemder dat hij niets vroeg. Toen het meisje in slaap dreigde te sukkelen stond hij op. Het gekraak van zijn overall verbrak de stilte; hij trok hem uit, bracht het slapende meisje naar de wieg en kwam naast me liggen. Een zweem van kippenvoer hing tussen ons in. Hij bleef me aankijken, indringend en eindeloos, zo voelde het. Maar hoe lang Stan ook kijken zou, het zou hem niet lukken om te zien wie ik wérkelijk was; ik wist het zelf niet meer, hoe kon hij het weten. Hij grabbelde naar me, ik liet hem begaan en al snel bonkten zijn ademstoten tegen mijn trommelvlies, net als zijn gesmoorde gehakkel: 'Roos-je, Roos pak aan, het is een zoon, hij heet Constant.'

Zwaar als lood zeeg hij op me neer en drukte me om te stikken zo diep in het kapok.

Zoon-Constant-pak-aan-, het werd een echo die nog dagenlang door mijn hoofd denderde.

16

Ik besloot naar Mathilde te gaan. Na onze vrijpartij die middag was Stan niet meer op zijn zoon teruggekomen en ook ik deed alsof de naam Constant nooit was gevallen. Dat was alleszins beter dan het zoveelste stille gevecht te leveren waarvan de winnaar op voorhand vaststond.

En dat hij zou winnen, daarvan leek Stan intussen overtuigd. In de la van de commode vond ik op de plek waar normaal mijn Nederlandse paspoort lag, een boerenzakdoek. Wat nu? Had Stan over het een en ander nagedacht? Met knikkende knieën kamde ik het huis uit, ziedend trok ik alle kleren met zakken van de hangers en keerde ze binnenstebuiten, niets; wat was hier gaande? Wisten zijn ouders hier van? Hem confronteren met de nieuwe boerenzakdoek durfde ik niet. Ik zag het voor me, Stan onnozelweg:

'Roosje, wat moet jij nu dan, met die Hollandse pas?'

Hel! Mijn paspoort was zoek, maar een ding stond vast, ik wou hier wég.

Het weer was fris. Spek en verse melk konden zonder risico mee de wei in.

Die morgen vroeg vrouw Schellekens besmuikt of ik al 'met de borst' gestopt was, omdat ik ons dagelijkse rantsoen melk ruim overschreed; controle, die eeuwige controle.

'Nee nee, een litertje of wat extra vanwege Jan-in-de-zak en puree,' zei ik. Die aardappelpuree klopte, ik zou bomma helpen met het verjaardagsmaal voor Florine en de verse melk zou straks aan Mathilde een luid 'halleluja!' ontlokken. Ik had gebrek aan een 'halleluja' en Mathilde aan verse melk. Dat ik ons meisje uit het nest geroofd had en op mijn lijf meedroeg, zou haar nog blijer maken. Met in iedere hand een melkkan liep ik de dreef af naar ons erf. Het knarsende geluid van de waterpomp kwam me van ver tegemoet. Stan pompte een bak water voor Bach, voor het beest het signaal kwispelend te worden ingespannen om op eier- en aardappelronde te gaan. Ze gingen steeds minder op pad, die twee; zijn werk bij de dodendraad vrat tijd, heel veel tijd. En toch was er buiten amper werk voor mij, zei Stan.

In gevecht met mijn spiegelbeeld lukte het me niet de draagdoek passend te krijgen, ik wikkelde het laken steeds verkeerd om en voor het eerst irriteerde me de barst. De spiegel, aan mijn ouders ontfutseld om het houtsnijwerk, werkte me op de zenuwen. Destijds vond ik de apenkoppen zo mooi, dat ik de breuk voor lief nam. Nu staarde het stel me spottend aan. Een flinke knik in de brug van mijn neus en mijn ene oog hoger dan het andere, deed ik een stap opzij. Met gesloten ogen probeerde ik het opnieuw, net als de eerste keer, enkel op gevoel; dat werkte, gelijke einden aan de voorkant en een solide knoop.

'Prutske, komaan!'

De kleine liet zich zonder protest in de doek hijsen en hing aan me alsof ze nooit anders had gedaan.

'Wij gaan tante Mathilde heel blij maken.'

Met trillende handen en toch doodkalm verzamelde ik op de keukentafel de spullen voor Mathilde en trok de jas aan die ik de laatste maanden van de zwangerschap had gedragen. Het was nooit gelukt de vetvlekken er helemaal uit te wassen, maar in een oorlog gooi je geen kleren weg. De eieren had ik hard gekookt, zodat ik ze mee kon nemen in mijn jaszak. Het spek ging in een kussensloop. Met de sloop in de ene en de melkkan in de andere hand, trapte ik trefzeker de deur achter me dicht. Ik wist hoe Stan zijn ronde liep en ging op pad in de tegenovergestelde richting. Al wou Stan andersom, de hond zou lopen zoals de hond altijd liep.

'De tante waar we heen gaan is bijzonder,' fluisterde ik. Ik groeide bij iedere stap.

'Die tante is speciaal omdat ze niet zomaar braaf doet wat andere mensen vinden dat ze móet doen.'

Telkens als ik tegen het meisje praatte tilde ze haar hoofd op en keek me aan.

'Onze Mathilde laat zich door geen enkele man verjagen, zelfs niet door een Pruis.'

Dof dreunden paardenhoeven in het zand naderbij. Eigenlijk kwam ik liever niemand tegen, nu. Zonder om te kijken liep ik kaarsrecht door en deed één knoop van mijn regenjas dicht. De galop ging over in een drafje. Ik bleef strak voor me uit kijken. Vlak naast me brieste een paard. Een snelle blik, ik kon het niet laten. Het paard hield even in, stopte niet, maar liet een niet thuis te brengen geur achter, verre van onaangenaam. Parfum? De ruiter in een bruine cape die als een vlag achter hem aanwapperende, groette lichtjes zwaaiend met een gehandschoende hand en gaf het paard de sporen. Onder de cape zwarte kleren, de laarzen met touwen kruislings dichtgebonden. In een flits dacht ik een rossige baard te zien. De cape viel ver over zijn ogen, zonder die baard had het net zo goed een vrouw kunnen zijn. Verderop in de dreef minderde hij opnieuw vaart, stak nogmaals zijn hand op en verdween kuierend uit zicht.

'Dat was zeker te weten geen paard van hier.'

Ik knoopte mijn jas weer los.

'Zulke mooie hebben wij hier niet, met van die zwartzijden manen.'

Ze sabbelde op haar knuistje, mijn bloes was kletsnat. Ik zette de melkkan neer om haar te verschikken en kuste haar kruin; rozige huid glom tussen de laatste plukken nestharen. Welke kleur haar zou ze krijgen?

'Wij gaan sparen prutske, wij gaan sparen voor een lange paardenstaart voor jou.'

Nog steeds hing er die vreemde geur.

'En voor vlechten zoals op heerooms foto, van die lange Indiaanse.'

Mathilde wist vast wel wie de ruiter was. Straks vragen, we waren er bijna, de sloot liep al langszij en stond nog steeds droog. Kreeg Mathilde me in het oog, dan zou ze ons zeker tegemoet komen. Voorlopig was de rookpluim in de verte het enige teken van leven; des te groter de verrassing. Intussen was het meisje in slaap gevallen. Tot mijn middel in het fluitenkruid bukte ik me over de rand van de sloot, alert op stekels en krassen. Stan had mijn leugen om bestwil zelf verzonnen: 'Roosje, goeie confiture is geen kapotte kuiten waard.'

Lachend gooide ik het spek met een boog de wei in; het verdween in het hoge gras. Ik controleerde het deksel van de melkkan en knoopte mijn jas van boven tot onder dicht. Op mijn borst was het meisje zich van niets bewust. Soepel liet ik me op mijn billen de sloot in glijden, het lauwe gras voelde als een sensatie. Mijn lijf werkte weer. Met de melkkan hoog maakte ik de sprong naar de overkant, kon een wilgentak grijpen en hees mezelf omhoog; et voilà, zo simpel was het. En zonder confiture. Een mager zonnetje zorgde ervoor dat ik het snikheet had met alle lappen rond mijn lijf. Ik deed mijn schoenen uit en probeerde net als vroeger, met mijn tenen het gras te grijpen; ik schoot in de lach. Met de armen en benen wijd liet ik me op mijn rug tussen de madeliefjes vallen. Alle spek in de goede richting. Was dit vrijheid? Dan kriebelde, geurde en pompte die door mijn aderen.

'Madelieven, *wij* zijn hier, bloeit en groeit allen, nu!'

Mijn hart bonkte het meisje wakker. Even tilde ze haar hoofd op en liet het weer zakken toen ze niks zag.

'Zal ik jou eens vertellen wat ik allemaal zie?'

Weer kwam het hoofdje omhoog. Ik drukte het zachtjes naar beneden en liet er mijn handen op rusten.

'Boven jou is de lucht blauw met grijze wolken; eentje lijkt op een kameel. Er vliegen prachtige witbuikvogels over met een zwarte staart, een staart in tweeën. Ze vliegen rondjes; ik denk dat ze ons herkennen van in de schuur. Hoor maar, hun snavels kwetteren van kijk daar, dat daar, dat zijn die twee van de muziek.'

En onder dit zelfde uitspansel moorden mannen elkaar uit in de loopgraven, niet eens zover hier vandaan. Maar dat vertel ik niet.

'In de boomgaard van de andere opa hebben we ook witbuiken.'

Ik draaide me op mijn zij en keek haar aan.

'Daar zijn witbuiken kersen, sappige, zoete kersen en die hangen in een boom. Ver-schrik-ke-lijk lekker, maar heel teer. Dikwijls met scheurtjes in hun vel, door de regen; van die scheurtjes proef je niks.'

Onze ogen vonden elkaar, er kwamen kuiltjes in haar wangen.

'En nu opgelet, we hebben dus witbuiken die vliegen en er zijn witbuiken die hangen.'

Mijn neus zocht opnieuw haar haren. 'Er bestaan heel veel soorten buiken meisje, net zoals er heel veel soorten bompa's zijn.'

Het was stil in de polder, er ritselde iets. Het droge gras week voor mijn adem.

'En dan nog iets prutske. De liefde, de liefde is als jeuk aan je hart waar je niet bij kunt om te krabben. Zo lastig kan de liefde zijn.'

Ineens hing daar het verwilderde hoofd van Mathilde boven ons: 'Wat lig jij hier in jezelf te praten? Ook kinds aan het worden, of wat?'

Ik veerde overeind, het meisje schrok en huilde. Met beide handen voor haar mond staarde Mathilde me aan: 'Maar Roos, wat krijgen we nou!' Ze deed de knopen van mijn jas los en schoof de draagdoek opzij: 'O god-o-god wat is ze klein,' bevend omhelsde ze ons, 'zo k-klein... ', de lieverd ging ervan hakkelen. Meteen herpakte ze zich.

'Komaan, gij dulle griet, kom verder,' en hoofdschuddend, 'je spek heb ik onderweg al gevonden, en nu vind ik jullie hier, zo samen, god-toch.'

'Wacht, de melk,' zei ik en ik pakte de melkkan.

'Halleluja!' Ze werd vuurrood en gluurde opnieuw onder mijn jas naar het meisje.

'Naar jouw hut,' zei ik kortaf. Zij fronste, maar liep meteen mee. Nerveus bedacht ik, dat ik Mathilde in vertrouwen moest nemen, het lukte me hier niet, alleen. Tegelijkertijd was ik bang haar te verliezen als ik teveel aandrong.

'Stan weet niet dat ik hier ben.'

'Overbodige melding,' was haar commentaar. Mathilde, cafébazin en zielenknijper in één, had aan een

half woord genoeg, concludeerde ik terwijl overtui-
gende frasen met voorbeelden te over door mijn hoofd
zoemden.

Nog steeds stond de kruiwagen voor haar 'deur', vol
zoden en hout. Intussen zag haar hut er steeds meer uit
als een echt huisje, een huisje van takken en zand. Binnen leegde ik mijn zakken. Met trillende neusvleugels
pakte Mathilde Rafs pet van de dekenkist en vulde die
met de hardgekookte eieren.

'Kind toch, zoveel moeite; merci merci.'

Ze schikte de pet met de eieren op het porseleinen
tafeltje alsof het een bloemstuk was.

Hoe wijs deze vrouw ook, het bleek lastiger dan gedacht haar uit te leggen hoe ongelukkig ik was en waarom. Misschien verloor ik aan overtuigingskracht omdat
ik gaande ons gesprek last kreeg van schaamte. Werd
mijn leven echt verpest door Stan? Kon ik bompa niet
gewoon links laten liggen; en bomma had toch niet alleen maar kundig commentaar op alles wat ik deed?

Vergeleek ik Mathildes situatie met die van mij…

'Maar ik wil echt terug naar huis!' riep ik te hard.
Het was me tot nu toe gelukt zonder huilen mijn verhaal te doen; Mathilde moest begrijpen dat ik hulp nodig had, dat ik in ieder geval iemand nodig had met wie
ik praten kon en het liefst ook iemand die me bevrijdde
uit de greep van mijn schoonfamilie.

'Stel u voor dat mijn opa dood gaat zonder dat hij
weet heeft van zijn kleindochter met de ogen van oma.'
Mathilde bleef ijzig kalm, zei niets. 'En bovendien, ik
hou dit echt geen oorlog lang vol.' Het dunne stemmetje van mijn geweten kwam er nog net doorheen met
de boodschap dat geduld niet mijn sterkste eigenschap
was.

'Denk toch eens na, Roos. Jouw thuis is hier, bij Stan en je kind.' Mathilde benadrukte ieder woord. Voorzichtig nam ze het meisje uit de doek bij haar op schoot, als bewijs dat lichtzinnigheid hier geen pas had.

'Ik heb heel lang en heel veel nagedacht.' Ook ik legde nadruk op ieder woord.

Zwijgend zaten we naast elkaar op bed, het meisje was de enige die bewoog en geluid maakte. Mathildes wijsvinger was in de greep van vijf kleine, knijpende vingertjes; prutske had beet.

Zachtjes zei ze: 'Zo gevaarlijk, Roosje, de draad is levensgevaarlijk.'

Mathilde en Raf hadden geen kinderen. Wellicht was het voor haar niet te begrijpen dat iemand die zo makkelijk kinderen baarde, ongelukkig kon zijn.

Als het alleen aan de liefde lag, dan hadden we d'r twaalf, was steevast haar antwoord op heikele kind-vragen en daarmee werd, in ieder geval aan de toog, het onderwerp afgedaan. Mijn moeder wist beter. Alles wat klein en hulpeloos was kon op Mathilde rekenen, maar of ze met het kleinkind van haar vriendin het risico van de dodendraad nam...

'Ik heb jou nodig, ik vertrouw niemand meer,' zei ik. Het was me stilaan duidelijk dat het gros van de dorpspopulatie, mijn schoonfamilie incluis, was, als bloeiende kamille rond een mestvaalt.

'Stan wil weer een kind. Zeg nou zelf, dat kan toch niet, nu, en ik *wil* het ook niet. Help me, Mathilde, help me alsjeblieft.'

Ze keek geschrokken; amper te verstaan vertelde ze omslachtig over de gevaren aan de grens, moest even slikken, de Pruisen zagen haar niet voor vol aan en lieten haar betijen. In het bos kon ze haar gang gaan, soldaten beloeren, af en aan lopen met de kruiwagen was geen probleem. Een gemoedelijke *Landsturmer* die dacht dat ze onnozel was, had haar uitgebreid verteld hoe gevaarlijk de draad was, wel drie draden op rij en telkens een ander deel op spanning. En van die spanning ging je dood. Het tijdschema was een groot geheim. En dan die allernieuwste vinding, een soldaat in een mandje onder een ballon zwevend boven de grens, graaf Zeppelin gelijk. Binnenkort was het zover, dan werd de draad ook vanuit de lucht bewaakt.

'Om de drie kilometer staat een bemand schakelhuis, wist Florine me te vertellen en Florine weet heel goed waar de mannen zitten,' zei ik hoopvol, 'dan kunnen wij toch het bos in?'

'Het bos in, het bos in, je loopt te hard, kind' mompelde ze, 'ik beloof niks. Nou moet ík nadenken. Kom om te beginnen over een week maar eens terug en neem een schapenwollen deken mee. En laat je kind thuis, bij bomma.'

'Nee,' panikeerde ik, 'het meisje moet mee!'

'Wees gerust, die gaat mee, áls het al zover komt, maar eerst moet ik die deken hebben en je moet me beloven dat je de volgende keer komt zonder de kleine.'

Haar toon gaf geen ruimte voor weerwoord; ik pakte prutske van haar over en mompelde: 'Misschien is het beter dat ze ons niet te veel samen zien.'

Mathilde knikte en veegde haar wangen droog. Ingevallen wangen had ze, die struise madam en Rafs trots van weleer. Bij alles wat ze deed volgden Rafs ogen haar met bewondering. En omgekeerd. Tot op de dag van zijn plotselinge dood.

'Raf, uw tapijtje zit scheef', zei ze soms, waarop ze lachend aan haar vingers likte en de lok op zijn kale hoofd met haar spuug weer in de goede richting plakte. Zijn familie, ergens diep in Nederlands Limburg, had ze sinds de dodendraad niet meer gezien. Voor hen die in een oorlog de lakens uitdeelden, waren menselijke banden van nul en geen belang.

'Ik kom stiekem langs,' zei ik, 'en ik leg iedere dag een ei in de holle tronk van voren op het pad.' We keken elkaar aan en schaterden; ver weg beantwoordde een pauw onze lach met een schreeuw die mijn nekharen recht overeind zette.

17

'Die zottin! Die zottin heeft haar eigen loopgraaf gegraven in een wei zowat naast de draad.' Van een afstand mikte Stan zijn pet op de stoel; ik wist meteen over wie hij het had, maar zei niks.

'We roken in het *Schalthaus* brand, ik liep een grotere ronde dan anders en wie stond er naar mij te wuiven vanuit haar rokende hol? Ons cafébazin, en vuil, vuíl! Veel klandizie gaat ze daar niet krijgen.' Hij lachte min. Stan en zijn verantwoordelijkheidsgevoel. Ik bleef zwijgen, dacht terug aan de avonden van verliefd en vrolijk zijn met chocola in Mathildes boomgaard.

'De wind zat verkeerd; had ik haar niet geroken, ik had haar nooit gezien. Wil er ook niet mee gezien worden.'

'Klaar?' vroeg ik. Hij viel stil, de ogen van verbazing wijd open.

'Mathilde zal tot het uiterste blijven weigeren de Pruisen hun zin te geven,' zei ik onderkoeld.

'Ah, jij geeft haar gelijk? Dat wijf is zot, die koppigheid dient geen enkel doel. Het was altijd al een aparte.' En daarmee had Mathilde voor hem afgedaan. Er borrelde van alles op dat naar een uitweg zocht, maar het was niet wijs om er op dit moment op in te gaan.

'Ik vind die Hollandse met de zwaluw mooier,' zei ik onnozel pesterig terwijl ik de luciferdoosjes van Union Allumettière van tafel pakte.

'Halt! Niet aankomen!'

In een reflex gooide ik ze terug op de keukentafel. Stan werd vuurrood. Halt?

'Stan, dit was een grapje; wat is er, zeg!?'

Met trillende vingers schoof hij een doosje open. Er zat een vlinder in, een vlinder met een afgebroken vleugel.

'Kijk, verdomme toch, kijk nou, hij is kapot.'

Wat had ik tot nu toe gemist, deed hij dit al eerder? Stan had nog nooit interesse getoond in de dieren zelf, alleen in wat ze opbrachten of hoe ze smaakten. Schoonheid was voor hem net zo vaag als dwarrelende sneeuw in een regenplas en nu ving meneer ineens vlinders? Hij keerde het doosje om, de vlinder viel in stukken op het tafelzeil. Het lijfje met één vleugel landde midden op de plastic roos, het oranje met de zwarte vlekken stak fel af tegen het geel. Met ogen op spleetjes schoof hij het andere doosje traag open; die vlinder was nog heel.

'Een kopspeld, vlug.' Hij commandeerde. IJzig pakte ik mijn naaimand en gaf hem het speldenkussen. In een flits was daar het beeld van mijn moeder met de kopspelden in haar mond, mijn engelenjurk, de processies. En Louis. Stan nam een speld uit het zijden kussentje.

'En papier, een stuk papier.' Ik bewoog niet.

'Nee iets dikkers, beter, een schoenendoos, pak het deksel van mijn trouwschoenen.'

'Wat ben je in godsnaam van plan?' vroeg ik zacht. Mijn keel zat potdicht.

'Pak-dat-deksel-Roos!'

In de kleerkast aaide ik de wollen deken; kippenvel kroop van onder naar boven. Ik pakte het deksel met

'Schoenen Desmedt Gent'; Stan had ze één keer gedragen. Pas bij een volgende trouwfeest of begrafenis, zouden ze weer uit hun doos komen. Iemand had ze ieder apart in een krant gewikkeld, één schoen meldde: *26 april 1914, Interland Nederland-België wordt met 4-2 gewonnen door Nederland.* In die week waren we getrouwd.

'Roos, waar blijf je?' Dwingend.

Het zou niet lang meer duren of hij sprak Duits. Hij griste het deksel uit mijn handen en liep terug naar de keuken. De mond half open, prikte hij de vlinder aan een speld. Toen stak hij de kopspeld met vlinder en al in de bodem van het deksel en deed, met zijn hoofd schuin, een stap naar achteren. Hij keek verlekkerd als naar een pint bier en loensde lichtjes; tussen zijn wenkbrauwen verscheen een rimpel toen hij plechtig sprak:

'Kijk, dat heb ik vandaag van Karl geleerd. Die heeft al kartons vol met alle soorten, in het *Schalthaus.*' Aan zijn onderlip hing een druppel zever.

Sprakeloos, ik was volkomen sprakeloos; de mannen aan de grens vingen niet alleen mensen, ze joegen ook op vlinders.

'En die gele met de witte bollen die jij gebroken hebt, die had nog niemand.' Een kleuter gelijk.

De mannen in het *Schalthaus* staken elkaar de loef af met gevangen vlinders.

'Het spijt me,' zei ik.

18

Wrok gedijt het beste 's nachts; ik deed geen oog dicht. In een half jaar tijd was Stan een andere man geworden. Of? Mijn besluit stond vast en hoe bitter ook, het luchtte me op dat ik er met Mathilde over had gepraat. Zij ging me helpen, ik wist het. Het bed was klam, mijn hemd plakte aan mijn vel, alles plakte, als een lijk lag ik strak in het laken gewikkeld. Was Mathilde maar dichterbij... Uit de wieg kwamen zuigende geluiden; nog even en ze zou om eten roepen, maar ik moest naar buiten. Stan klonk nog als in diepe slaap, mijn jager was herstellende van de jacht. Telkens als hij uitademde golfde een mengsel van zweet en fluitjesbier langs het laken mijn kant op. Ik draaide me om, pakte het meisje en inhaleerde diep; ik bood haar een borst en was niet langer alleen.

'Prutske, straks ga ik wandelen en jij gaat braaf slapen,' fluisterde ik. 'Wees gerust, mamma komt terug.' Ik wreef mijn neus droog in mijn kussen. In een mum van tijd lag ze pruttelend naast me; nu terugleggen in haar wieg en ze zou nog uren doorslapen. Op mijn tenen tripte ik de kamer uit, schoot in mijn klompen en liep het erf op. De nachtwind verkoelde mijn verhitte lijf. Of was het het gekraak in de heg, dat me kippenvel bezorgde? Wakkere Bach sloeg niet aan en als de hond er gerust op was, dan was ik het ook. Het tuinhek was nog dicht, niets te zien, wel weer geritsel. Een inspectie van dichtbij was het minste. Bompa had gesnoeid en alles flink ingekort -onze Stan heeft wel wat beters te doen dan tuinieren-. Over de heg gebogen keek ik de dreef in. Geen onraad. Tot er onder de heg opnieuw iets bewoog. Geschrokken zocht ik houvast in de struiken en haalde mijn handen open aan de vers gesnoeide liguster. Het bloed van mijn vingers likkend zag ik hoe een egel worstelde met een appel; nog een moeder op drift. Het lukte me bijna geruisloos water te pompen, waarop Bach, altijd te vinden voor een extra rondje, wél begon te janken. 'Ksssst beestje, stil!' Hij gehoorzaamde. 'Braaf, Bach is braaf, *ik* doe mijn ronde,' mompelde ik, 'lig!'

Het water langs mijn polsen deed deugd en stopte het bloeden. Bompa; bompa had die middag takken en afval in mijn vijver geplempt zonder zich een moment te bekommeren om de levende vissen.

'Zeg, wat zijn dát voor streken!' riep ik door het keukenraam met een stem die oversloeg van woede.

'Maak u niet druk Rosa, vissen zijn koudbloedig, die voelen niks.' Soms noemde hij me 'Roooza', met een te langgerekte 'o', om te pesten.

'Dan ben jij een vis van de allerlelijkste soort,' siste ik.

Als de vos die op afstand een kuiken beloert keek hij me aan, maar dit kuiken was minder onschuldig dan de vos vermoedde. De oude vos riep terug dat, als het aan hem lag, de kinderen van Stan -*de kinderen*- niet in hun eigen tuin zouden verdrinken en als ik wilde vissen, dan waren er aan de Hollandse kant kreken genoeg. Met een te luid 'en trekt er verder uw plan mee' was voor hem de zaak afgedaan. De vijver werd gedempt, de vissen stikten. Razend liep ik naar de achterdeur, bleef staan en telde tot tien; ik beet mijn tong af, mijn tijd zou vanzelf komen. Waarop ik hem zijn gang liet gaan en de rest van de middag negeerde; geen tafelbier, geen koeken, water uit de pomp was al dat er voor hem was. Het deerde hem niet, hij vulde de vijver tot de rand toe met kruiwagens aarde en mest; alleen de cirkel van kasseien herinnerde nog aan mijn vijver omzoomd met gele lis.

'Denk erom dat je bollen plant,' riep hij bokkig door het keukenraam, 'half november,' en weg was hij. Die bollen in november, dat moest nog blijken.

Met een droge klik opende ik het tuinhek en liep het donker in, door een buitje rook alles heerlijk vers groen. Nergens oorlogsgeschut of een alarm te horen, het was een doodstille nacht met krekels die tjirpten voor mij alleen. En voor Mathilde. In het maanlicht was het zandpad een lint, een lang lint dat erom smeekte vastgepakt en gevolgd te worden. De pauw op de nok van het dak van Schellekens liep samen met mij de maan tegemoet. Eenmaal in het open veld hing er mist, een mist waar de koeien net met hun koppen bovenuit staken. Koeienmist op dit moment van de nacht was vreemd, koeienmist hoorde bij zonsopgang, als de aarde écht was afgekoeld. Niets was nog zeker, van niets kon je nog op aan, alleen van een oude vrouw in een plaggenhut... Uit alle macht probeerde ik mijn gedachtestroom te stoppen, het was onmogelijk dat zij me niet zou helpen.

Iets maakte me lichter, bijna ijl. Te snel afgekoeld wellicht, vanuit mijn verhitte bed, die flarden nevel rond mijn blote benen, het was koud zo in mijn hemd. Ver weg klonken doffe dreunen. Ik rilde, paardenhoeven kwamen dichterbij en klappertandend voelde ik de warmte van het langsstormende beest. De ruiter zwaaide, het paard brieste; precies hetzelfde als eerder, maar vreemd nu, midden in de nacht. Aarzelend stak ook ik mijn hand op: 'Hé,' riep ik te zacht, 'ook op weg naar het land der levenden?' Als een gordijn sloot de mistbank zich achter de ruiter, alleen zijn hoofd bleef nog even deinend zichtbaar. 'Wie-ben-je?' riep ik, met beide handen om mijn mond. Hij keek niet om. De krekels vielen stil. In een zoetige wolk liep ik naar huis terug, kwiek en klaarwakker, alle zintuigen op scherp. In een nacht als deze...

Niet weer vergeten om Mathilde naar de ruiter te vragen.

'Mamma is er weer,' fluisterde ik boven de wieg en ik gooide het raam wagenwijd open. Niemand bewoog, niemand had me gemist.

19

Ongehuwd was ze en ze werd dertig. Alle vrouwen op het dorp met deze status noemde bompa 'kwezels', behalve haar, zijn trots.

'Ons Florine is een echte stadse, die trekt haar eigen plan. Met alle gemak zonder vent, maar zonder mij kan ze niet.' Zo luidde de vaste repliek waarvan bompa zich bediende als de mensen, of beter de mannen, hem confronteerden met zijn mooie, maar vrijgezelle dochter op leeftijd.

Bompa's antwoord was niet helemaal gelogen. De enige keer dat Florine en ik samen in Antwerpen waren, fladderde ze door de stad als een vleermuis in het spoor van een mottenfamilie. In de ban van de fraaiste jurken die langs paradeerden riep ze: 'Roos, kijk toch, kijk die schoénen!' Ze genoot van het manvolk zo verschillend van de boerenbuiten, haar oogopslag werd anders, haar ademhaling versnelde en iedere etalageruit werd een spiegel. Keer op keer werd ze naar de stad gelokt, kreeg er moeiteloos een betrekking als kindermeid en stond geen vol jaar later weer thuis om als de verloren zoon te worden binnengehaald. Ze gooide haar koffer in de gang, stak haar benen onder tafel en at een bord karnemelksepap met bruine suiker.

'En nu ga ik hier nooit meer weg,' was het enige dat ze zei, na iedere hap. Het deed haar ouders een groot plezier. Sinds de draad van de Pruisen en de geboorte van het meisje had ze het dorp niet meer verlaten. Er was vertier genoeg met zoveel vreemd volk in de buurt en de kleine bij haar broer. Niet dat ik haar zo vaak zag. Ik zat ook niet op haar te wachten. Maar er hing verandering in de lucht, zoveel was zeker.

Steviger dan bedoeld kneep ik in het handvat van de kinderwagen. Florine kwam naar buiten en tilde zonder me te groeten het lakentje op.

'Ze verandert per week,' zei ze en keek van het meisje naar mij en weer terug. Prutske sabbelde op haar duim en sliep met aan haar voeten een kussensloop vol geschilde aardappelen.

'Voor bomma,' zei ik, 'had ik beloofd.'

Ik gaf Florine de aardappelen en stalde de kinderwagen onder de vlier. Liever had ze het meisje uit de wagen gepakt om ermee in de boomgaard te verdwijnen, maar ze liep zonder een woord te zeggen de keuken in en gooide de aardappels weinig zachtzinnig in de pompbak; afgunst maakt mooie mensen lelijk. Ik volgde tevreden. Achter de schuifdeuren hingen de nonkels aan Stans lippen. De woorden 'dodenhuisje' en 'vonken' klonken door tot in de keuken, geen van de vrouwen reageerde. Door de gekleurde glas-in-lood ruitjes leek het alsof een duister genootschap vergaderde met Stan aan het hoofd. De tantes keuvelden aan de keukentafel; ze rekenden er vast op dat hun boeren de volgende zomer weer gewoon het land opgingen in plaats van zich in huis met alles te bemoeien waar ze geen verstand van hadden.

'Roos mag van geluk spreken dat Stan wat anders om handen heeft, een lot uit de loterij is het, dat champetterschap voor de Pruis,' zei Emilienne breedlachend en nooit vies van een steek onder water.

'Hij hangt nog niet al te veel rond haar rokken,' beaamde bomma.

'Nee, onze Stán niet,' siste Florine. Er viel een stilte. In gedachten gooide ik de stapel borden van het aanrecht een voor een naar het hoofd van Florine. Bloed en scherven spatten alle kanten op. Boven de stoof vloog de spiegel aan diggelen toen Florine zich bukte om een aanzeilend bord te ontwijken. Een van de scherven landde rechtop in haar neus, goed voor een blijvend litteken; de blouses van de tantes vlekten langzaam rood. Met mijn rug naar de tantes voelde ik me onkwetsbaar. Onder de vlier huilde het meisje. Honger. Ik liep naar buiten en stak in het voorbijgaan mijn hoofd door het keukenraam.

'Bomma, ik geef de kleine eten.' Niemand keek. 'Bomma?' iets harder nu. Niemand luisterde. Struikelend over mijn eigen voeten liep ik de tuin in, een golf van misselijkheid raasde door mijn lijf. Zodra ze tegen me aanlag werd het meisje rustig. In de schaduw van de vlier knoopte ik mijn bloes los. De warme golf die mijn borst verstrakte verjoeg het misselijke gevoel. Ik sloot mijn ogen, de familie was verdwenen. Het geroezemoes vanuit huis werd overstemd door kwetterende zwaluwen met hun buit onderweg naar de nok van het dak. *Daar waar een zwaluw zijn nest bouwt, zal voorspoed heersen en zal de bliksem niet inslaan.* Welke natuurheilige predikte dat? Ik moest het nog zien.

'Ge zijt d'Heil'ge Maagd!'

Vanuit het niets stond hij daar, stinkend, met ogen die keken en niets zagen, als een lijk zo bleek; het enige rood in zijn scheve gezicht was het wit van zijn ogen. Een baard van een week en kringen rond zijn gulp, zijn varkensoortjes gloeiden. Hoe kwam ik hier weg? Als ik het nu op een lopen zette zou de vernedering groot zijn. Je kind in bed de borst geven, alla, maar dan ook alleen in bed en ín je slaapkamer, al het overige gold als ongepast. Uitgedaagd door Florine overtrad ik alle heersende fatsoensregels; haat biedt houvast, haat maakt je overmoedig. En nu stond de dorpsgek klaar om mijn overmoed te bestraffen. De gek die overal waar iets te doen was opdook, om dan vervolgens weer voor weken te verdwijnen. 'Het laatste nieuws', noemden ze hem in de café's. In de staart van de fanfare werd de zotte Guust, met zijn pannendeksels waar het emaille van afvloog, gedoogd. De deksels, of wat er nog van over was, waren de erfenis van zijn moeder. Zijn vader had hij nooit gekend, wat volgens zijn moeder maar het beste was ook. Die zot stond nu voor me en zag me aan voor de heilige maagd. Zijn vuile hand raakte het achterhoofd van het meisje, zijn mond zakte open. Voorzichtig duwde ik de knobbelvingers opzij. Met beide handen in zijn zakken kwam hij te dicht naast me zitten.

'Hoe heet ze?' vroeg hij, 'of is het een manneke?'

'Een meisje', fluisterde ik, tevergeefs achterom loerend naar het keukenraam.

'Ga naar bomma, Guust,' zei ik, 'bomma heeft wat lekkers voor u.'

'Ik wil eten wat die kleine eet,' was zijn antwoord.

Twee handen omklemden mijn hals, een duim drukte op mijn strottenhoofd. Het meisje was in slaap gevallen. Ik frommelde aan mijn bloes en legde prutskes hoofd op mijn schouder, haar lijfje rustte op mijn blote borst, geharnast door mijn handen; ik zou niet lossen.

'Guust, ga gauw naar binnen jongen, Florine verwacht u.' Mijn stembanden lieten het afweten, opnieuw probeerde ik: 'Guust,… naar binnen, … Florine heeft pap,' schoot eruit nu, als een commando. Maar Guust liet zich niet commanderen, hij bleef zitten en zei: 'Gister in het café heb ik gedanst met Florineke.'

Onnozelaars konden rekenen op haar barmhartigheid.

'En Florineke vertelde mij dat uw kleine niet een kleine is van Stan…', de deuk in zijn voorhoofd werd dieper, 'weet jij daar iets méér van?'

Voor ik kon antwoorden had de zot uit het niets een draai om zijn oren te pakken, zijn wang gloeide. Vloekend en tierend zette Guust het op een lopen.

Stan stond achter ons, bevend over zijn hele lijf, niet te verbloemen, zelfs niet door een uniform; ik had hem niet horen aankomen.

'Ik heb dienst,' zei hij en liep weg. Zijn schouders schokten. Verdomme, Constant Baeckelandt, vraag dan eens voor één keer aan míj hoe het zit! Maar alleen in gedachten kon ik schreeuwen tegen Stan. Ik legde het meisje in de kinderwagen.

'Prutske, vanaf nu zijn de messen geslepen.'

In het voorbijgaan telde ik de zwaluwen in de nok en zoog mijn longen vol lucht; iemand had het keukenraam intussen dichtgedaan. Naar huis, ik wou alleen maar naar huis. Nee, naar Mathilde. Ja, maar eerst naar huis. Met piepende veren stuiterde de kinderwagen op het ritme van mijn voetstappen over het pad, lachend rolde het meisje in de bak heen en weer. Dit wordt een kermiskind, dacht ik, maar zolang we met de Pruisen zaten opgescheept, konden we een kermis wel vergeten. Vanuit mijn ooghoeken zag ik een mouw van Stans uniform. Boven de liguster zwaaide zijn arm met de flonkerende knoop omhoog en naar beneden, het geluid van krakend hout; Stan had toch dienst? Op mijn tenen kon ik net over de heg heen kijken. Een bijl spleet mijn hommel.

20

Met één rake klap van de bijl sloeg hij de peperkoek doormidden, en nog eens, en nog eens, elke reep in nieuwe,
dunnere stukken. Wie was die man bij het hakblok die zo
royaal koek uitdeelde? Onder luid gejoel van de kinderen
veegde hij het zweet van zijn voorhoofd. Hij had gewonnen, kon hakken op de millimeter en kocht, aangemoedigd
door de kleine schooiers, een nieuw lot. De man trok zijn
blauwe buis recht en hief opnieuw de bijl... muziek, verre
flarden van hoge tonen, beantwoord door de haan onder
mijn slaapkamerraam. De fanfare... zo vroeg?

Toch, 21 juli 1913, het was nationale feestdag, maan-
dag, de kermis over de grens ging los. De mannen toe-
terden de hazen het veld uit; volop plezier voor mens en
dier op de dag dat hun eerste koning de eed zwoer op de
grondwet. Voor iedere Belg een gegronde reden om te feesten. Op Leopold de Eerste en de onafhankelijkheid mocht
je dansen, dansen tot je erbij neerviel.

Voor het eerst zou ik erbij zijn, met Emma. Zuster
Emma verzorgde opa en had mij uitverkoren om mee te
gaan naar haar laatste bal. Het bál! Meteen zat ik rechtop
en zwaaide mijn benen buiten boord; in paniek sprong de
poes het bed af en zeilde wijdpoots door de kamer.

'Zot beest, goedemorgen! Dansen is voor straks.'

Behoedzaam trippelde mijn dakhaas terug naar het
bed en sprong bij me op schoot.

'Poezepoes, was dat een kattenwals?'
Ze gaf me een kopje.
'Komaan vrijer, kom, eten.'

Mijn vriendinnen waren een en al afgunst, net 18 en al gaan dansen op de 21e juli. Met Emma als chaperonne mocht ik naar de spiegeltent. Een week later zou mijn liefste nichtje als lekenzuster naar de missie vertrekken en deze kermis werd het afscheid van wat zij noemde, haar rijke bestaan. Ze wilde niet in haar eentje feesten en ze had bovendien, zo bleek later, nog een ander plan. Mijn ouders vonden haar uitzonderlijk wijs; als je op je twintigste besloot naar de andere kant van de wereld te vertrekken zonder een veilig klooster achter je, was je als vrouw bovengemiddeld, een avonturier gelijk.

We hadden om twee uur afgesproken. Al een half uur daarvoor, liep ik rondjes door de keuken in mijn nieuwe rok. Mijn ouders zochten verkoeling onder de bomen, binnen was het benauwd, mijn gedrentel werkte op hun zenuwen.

Uit twee feestjurken van oma had mijn moeder iets unieks genaaid. Het favoriete blauw van onze overleden oma was ook mijn kleur en daarom had ze bij het opruimen van de kleerkast besloten de zijde opnieuw te gebruiken. Het gepruts met draadjes en naadjes nam ze voor lief. Het was een rok in banen, wat hem iets voornaams gaf; misschien was hij zelfs te chique voor de jaarlijkse kermis. Brutaal streelde de zachte zijde mijn benen. Mijn wit batisten bloesje was afgewerkt met lange linten van hetzelfde blauw als de rok; linten die ik steeds weer knoopte en lostrok. Open, dat raam; ik inhaleerde diep. In de tuin weerspiegelde de vijver rimpelloos de zon. Het enige dat bewoog waren de parende libellen. Hun lijven, rond gesmeed als een wiel, zweefden boven het water, landden op de dotterbloem en gingen, nog steeds één, opnieuw de lucht in. Half groen half blauw landde het libellenwiel op de waterlelie en werd door de bladeren aan mijn blik ont-trokken. Ik oefende danspasjes die ik niet kende en draai-de rondjes in een blauwe cirkel tot ik suizebolde. Emma stond te klappen in de deuropening.

'Roos-je-wat-ben-jij-mooi!' Mijn hals en hoofd werden warm.

'En al het rood steekt prachtig af tegen het wit,' riep de krabbekat. Wat ging ik haar missen, mijn reserve zus. Zwaaiend in de richting van de boomgaard liepen we het erf af, het draaiorgel tegemoet. Af en toe naar adem happend ratelde Emma tegen de straffe wind in, dat ze volgende week deze tijd gepakt en gezakt klaar stond op de kade van Antwerpen, dat ze nieuwsgierig was naar die vreemde, warme stad aan het andere eind van de wereld.

'Roos, São Paulo, ik weet er nog amper iets van. Maar zij van mij ook niet,' schreeuwde ze, 'hoed u Heilige Pau-lus, zuster Emma komt eraan!'

Ze was benieuwd wie er allemaal op de Rijnkaai zouden staan om haar uit te zwaaien. Ik niet, op zulke momenten was mijn hart van koekebrood. Maar Emma was blij, ze was blij en trots dat ze tijdens de overtocht al als ziekenzuster aan het werk mocht. Zo'n honderd emi-granten met al lang vergeten kwaaltjes die door heimwee ineens weer de kop opstaken, zouden haar lange reis aan boord van de oceaanstomer bekorten; ze had een eeuwig gebrek aan geduld. Ook nu, op weg naar de muziek.

Emma's tempo was niet bij te benen en de wind speel-de de baas over mijn rok, ik kwam handen tekort. De douaniers salueerden. Eenmaal voorbij de bocht werd het rustiger en zagen we de spiegeltent fonkelen in de zon. De

walm uit het smoutebollenkraam deed me slikken; beter
van niet, een zijden rok en druipend vet. Daverend heette
'Le Bon Vivant' ons welkom. Iedere dreun op de trommel
van het pierement binnen, liet de cupido's aan de buiten-
kant trillen.

'Eerst een rondje Kerkplein, goed?' Ik volgde Emma
naar de orgelman, die zodra hij zijn klandizie zag aan-
komen met een zwier zijn pet afnam en een draai aan de
slinger gaf.

'Zeg juffrouw, zie-ne-keer, er lopen hier vandaag prinss-
sessssen rond,' riep hij lijzig, in een poging de valse deun goed
te praten; een tandenloze mond en een klodder kwijl die bleef
hangen op een wrat, tussen wat er na een bot scheermes restte
van een baard. Dat van die prinsessen grapte hij natuurlijk
tegen alle vrouwen; ik groette de aap, gehuld in een vaal brei-
werkje met geronnen bloed. Het beestje zat met een verroes-
te ketting aan het orgel vastgeklonken en had precies genoeg
ruimte om zijn verplichte rondedans te doen. Met compassie
aaide ik zachtjes de vlooienbak; hij was vast erger gewend.

'Pepe, hij heet Pepe.'

'Dans Pepe, dans!' zei ik en deed als aanmoediging een
halve kluit in het rammelende busje van zijn baas.

'Roos,' fluisterde Emma, 'let op je centen, de dag is nog
lang.' Voor ik kon antwoorden was er op het Kerkplein bij
de smidse iets dat op een oproer leek.

'Komaan,' zei Emma, 'niet bang zijn.'

Van dichtbij zag ik hoe twee mannen om de beurt een
ton ranselden. Een houten ton die aan een lang touw hing
kreeg er met stokken hevig van langs, de mannen leken gek
geworden.

'Daar zit een kat in,' zei Emma, 'ze knuppelen tot de
boel in duigen valt.'

'Wat?!' Ik dacht aan mijn eigen katje en gilde.

'Rustig, kalm, het beest kan ontsnappen, als het snel is tenminste.'

'Echt?'

'Wie als eerste de ton kapot klopt wint en pas dan verlaat de kat de kermis, dood of levend.'

'Ai.'

'Wat, ai,' zei Emma, 'er zijn meer katten op de wereld dan mensen.'

Nu begreep ik dat aan de Hollandse kant de kermissen steeds vaker verboden werden, terwijl over de grens 'het spel' gewoon doorging; op Emma leek het al met al weinig indruk te maken. Ik kon die kattenklopperij niet aanzien.

'De schiettent, Emma' riep ik, 'kom, leer me schieten.'

'Trek het je niet aan van die katten, het volk hier is niet zachtaardig,' zei ze nog. Kwaad en geschrokken wou ik het er niet meer over hebben, dierenleed mocht Mijn Grote Dag niet bederven. We konden beter met een loodjesgeweer op figuren van blik gaan schieten; mooie prijzen.

'Schieten? Nee, kom, dansen!'

'Ook goed,' zei ik en trok voor de tent mijn bloesje recht. Nog nooit had ik zoveel spiegels bij elkaar gezien. Vanuit mijn ooghoeken volgde ik ons tweeën langs de wand tot we neerploften in een nisje waar nog niemand zat. Met onze rokken verstrikt in het veel te lange tafelkleed, loerden we de tent rond; Emma schopte tegen mijn enkel: 'En?' Ik lachte, wist niet waar ik het eerst kijken moest. Het was al druk op de dansvloer, we besloten aan het fluitjesbier te gaan. Opgewonden volgde ik de kartonnen kaarten met hoekige gaatjes die door het orgel werden ingeslikt en er als een wals weer uitkwamen; hoe was het mogelijk! De smoutebollenlucht drong de danstent binnen; vette, warme cassonade smolt al op mijn tong... In een hoek van de dansvloer zat een man achter een houten schot waarop *in rood-witte letters 'Caisse'. Na elke dans haalde hij een koperen kluit dansgeld op. Riep de mannelijke helft: 'Halve!', dan wilde die twee dansjes voor de prijs van één. In grote willekeur streek de man over zijn hart, vanuit zijn kassa had hij uitstekend zicht op het dansen en sjansen. Emma's gezicht kleurde groen.*

'Je lijkt niet helemaal lekker,' zei ik.

'En jij hebt geelzucht,' antwoordde de zuster; als op commando draaiden we beiden onze gezichten weg van de gekleurde ruiten. Op de dansvloer smeekte Florine Baeckelandt om aandacht. Ik kende Florine zijdelings, verre familie van Emma met de reputatie van losbol. De kermissen in de buurt konden niet zonder Florine. Ze zwaaide uitbundig met beide armen toen ze Emma zag en wees naar de hoek. Ik moest knipperen van zoveel licht, een felle straal van de overkant. Met halfopen ogen zag ik de man die me welgemikt met een spiegeltje in het gezicht scheen.

'Hallo, Stan!' schreeuwde Emma boven de muziek uit.

'Kom aan,' zei ze, 'de broer van Florine,' en trok me van mijn bankje. Ik protesteerde niet, was benieuwd wie er zo brutaal contact zocht met me. Hij mikte het spiegeltje weer in de handtas van zijn zus. Met iets dat op een buiging leek, de handen op de rug, werden we begroet. Toen hij me recht in de ogen keek kwamen er kuiltjes in zijn wangen. Ik gaf hem een hand: 'Dag Stan, ik ben Roos.'

'Dat weet ik,' zei hij, hij hield mijn hand vast en bleef me aankijken. De kuiltjes in zijn wangen werden dieper, mijn mond werd droger, mijn knieën verslapten. Opnieuw voelde ik hoe het rood afstak tegen het wit.

'Dansen?'

Ik kwam pas weer bij zinnen toen Stan 'Halve!' riep en van de collectant meteen zijn zin kreeg. Ik rook geen smoutebollen en vette suiker meer, maar Stan en het stijfsel

in zijn hemd. Lekker; zo geurden mannen dus. Hij was
lang en wel tweemaal mijn leeftijd. Met mijn neus tegen
zijn borst en mijn ogen dicht leek gras mijn voetzolen te
kietelen. Toen ik dreigde te vallen deed ik mijn ogen weer
open en was Emma weg.

'*Waar is Emma?' zei ik, 'ik moet bij haar blijven.'*
Stan haalde zijn schouders op.

'*We moeten haar zoeken, anders krijg ik geduvel thuis.'*

'*Ze weet ervan,' zei hij, en hij kuste me met zijn ogen;*
snel drukte ik mijn neus weer in zijn hemd. Vantevoren
pasjes oefenen was overbodig, totaal overbodig, dansen
ging vanzelf. Tot Stan zei: 'Eens buiten kijken?' Ik knikte;
praten ging moeilijk.

'*Pas op, het trapje,' hij hield de deur voor me open en*
nam me bij de hand. Dansen was makkelijker dan lo-
pen. Hij stevende recht op de stootkar met smoutebollen af,
maar eten ging niet lukken met een dichte keel.

'*Wat wil je?' vroeg Stan.*

'*Ik weet het niet.' Ik was hees en zocht steun aan het*
karrewiel. Mijn hoofd leek ineens een paar maten te groot.

'*Hoezo, ik weet het niet.' Hij viel even stil.*

'*Zeg, mademoiselle Roos d'Hollande, wij zijn niet alle*
dagen op de kermis, vooruit, wat zal het zijn?'

Ik wees naar de klomp dikke suikerstroop die net door
de bakker aan een haak werd geslagen.

'*Warme rék, jij wil warme rek?'*

'*Dat hebben ze bij ons niet.' Ik deed mijn best zo onop-*
vallend mogelijk naar lucht te happen.

'*Momentje,' zei de bakker en hij trok met een sierlijk*
gebaar de taaie stroop naar beneden, gooide die opnieuw
om de haak en trok hem weer uit, net zolang tot hij een
soepele streng had die hij door de bloem kon rollen. Daar-
na sneed hij de streng in stukjes.

'Hoeveel?'

'Twee is genoeg, dank u,' zei ik. Aan het gebaar te zien had hij me verstaan, zelf hoorde ik alleen het bonken van mijn hart. Emma had me er weleens over verteld, mij was het nog nooit overkomen, en nu…? Stan gaf me het boterpapiertje met de warme rek. Bang op mijn rok te morsen durfde ik er amper in te bijten. Hij loodste me naar een bankje en trok een grote rode zakdoek uit zijn broekzak, een waar je makkelijk een heel hoofd in kwijt kon. Met het rode laken in de ene en de warme zoetigheid in de andere hand nam ik voorzichtig een hap, het spul zoog zich vast aan mijn verhemelte. Wat ik ook met mijn tong probeerde, de klont liet zich niet los wrikken; praten was onmogelijk. Wachten, het smolt vanzelf; het was heerlijk, maar gênant. Stan kwam naast me zitten en roemde mijn danstalent. Dat viel alleszins mee, had ik willen zeggen, maar het bleef bij knikken. Hij begon een lofzang op het boerenleven en op zijn vaders prijsduiven. Ik luisterde, maar het verwarrende gevoel in mijn onderbuik vroeg om meer dan om eersteklas duivenvoer. Ik weet niet hoe lang we daar al zaten toen Emma weer opdook; wij, hand-in-hand intussen, met de zakdoek eroverheen. Ze verontschuldigde zich dat het tijd was om naar huis te gaan.

'Geeft niks,' zei Stan, 'ik kom morgen langs, met een boek.'

'Een boek? Wat voor boek?'

'Te leen, voor je vader, "De kenmerken van een prijsduif".'

Hij maakte een fladderende beweging met zijn handen die landden op mijn schouders en traag langs mijn blote armen in de mijne gleden.

'Wees er zuinig op,' zei hij en kneep zachtjes in mijn vingers.

Op de Mechelse Catechismus na, was dit het enige boek dat ze bij de Baeckelandts in huis hadden. Waar hadden *we het verder over gehad? Mijn ouders zouden alles willen weten. Als Stan plannen had te blijven komen, en daar leek het op, zouden ze me uitmelken over vanmiddag. Ik was het kwijt, totaal kwijt. Terwijl we naar huis liepen ratelde Emma als op de heenweg, paardenbloempluisjes zweefden rond mijn hoofd, ik blies ze voor me uit; van hoeve naar hoeve blaften de honden, voor mijn gevoel kon ik doorlopen tot Parijs...*

21

Mijn lijf was een vreemd sidderend ding met bonkende slapen, slapen die harder beukten dan de bijl van Stan ooit. De wollen deken die mijn hommel tegen houtworm had beschermd lag voor het grijpen op de vloer van de slaapkamer, klaar om mee te nemen naar Mathilde. Stan, de behulpzame. Ik hees het meisje in de draagdoek; het beven werd minder, het bonken niet. Mathilde had me bevolen bij een volgend bezoek het kind thuis te laten, maar het was onmogelijk haar nu bij bomma te stallen. De deken rolde ik op tot een worst die ik dichtbond met een touw waarvan ik het uiteinde vastknoopte aan de draagdoek. Roos, de pakezel, zou de grens van een andere kant naderen; langs de Tragel kon ik Stan op afstand bezig zien met het vlechtwerk, het vlechtwerk aan de schuttingen dat zijn handen tot bloedens toe verruwde. Een bewaakte doorgang van het Kerkplein naar de grens, dat wou ik met eigen ogen zien. De Tragel was bochtig en had genoeg begroeiing om in weg te duiken, desnoods liep ik achterlangs de kerk.

Eerst brood snijden, gekookt spek ertussen en melk drinken. Er was lawaai in mijn hoofd, een nerveuze drukte, 'ze is niet van Stan, nee, niet van Stan,' galmde het. Geen feest, voor mij was het feesten afgelopen. Stan moest wanhopig zijn. Zoals hij wegliep... Ik niet;

ik voelde geen wanhoop, verdriet des te meer. Een grote treurigheid drukte op mijn borst samen met dat prachtige hoofdje, het mooiste dat een mens zich wensen kon. Van Stan. In de heilige overtuiging te weten wat goed was voor ons en wat niet, vergrootte hij enkel de kloof. Door het vermorzelen van mijn hommel was de afstand niet meer te overbruggen. En wie moest hier wie beschermen?

Op de donkere korst kauwend ging ik op weg, het smaakte me. Zodra ik in beweging kwam kalmeerde ook mijn hoofd. Ondanks de bittere uren van zo-even smaakte mijn zelfgebakken brood als een feestmaal.

'Prutske, je gaat voor het eerst de andere kant van dit boerengat zien.' Volkomen gerust op wat volgen zou, knikkebolde het meisje tegen me aan. 'We gaan op weg naar het land zonder hommelverbod.' Vanuit de boom scheerde een duif rakelings langs, ik voelde de wind, ik rook de vogel. En ik zag Mathilde in haar café weer bezig met de opgejaagde doffer en de panikerende mannen, zij, de rust zelve.

'Het kan nog even duren voor we er zijn, maar we vinden onze weg.'

Mijn pad liep dwars door het dorp; hier en daar ging voorzichtig een gordijn op een kier. Vanaf nu deerde die aandacht me niet meer. Wat ze zagen, zagen ze, in mijn hoofd kon niemand kijken en wat ik dacht kon niemand lezen. Mijn plannen waren van mij, ook het daglicht zou ze niet zien. Als het goed was. De Tragel kwam dichterbij; een kar met hooi sukkelde over de kasseien, niet te zien wie op de bok zat. De regelmatige hoefslag van het paard op de stenen woei als muziek mijn kant op. Ik versnelde mijn pas en ging de bocht om. Een kar geladen met stro, boer Schellekens aan de teugels, dat was minder. Het smalle pad van de luie kerkgangers bood uit-komst, aan het eind ervan stond veel volk. Hing er weer iemand aan de draad? Op de kerktoren glom het haantje, in de dakgoot zat, als een zwart verbond, een krassende sliert kraaien die leek stil te vallen door het schouwspel beneden. Ik haastte me achter het muurtje bij de sacristie en hurkte neer. Bij iedere beweging die ik in de verte zag liepen de rillingen over mijn rug, ik had het ijskoud. Aan de ene kant van de weg stond Stan onverstoorbaar te vlechten, met handschoenen aan. Van de Pruisen zeker, om geen vuile handen te krijgen. Aan de andere kant stonden drie huilende kinderen, wat volwassenen en vier soldaten die een lijkkist hoog hielden. Het kon niet an-ders of Stan moest horen wat er zich achter zijn rug af-speelde, maar hij zag en voelde slechts het roggestro.

'En wat voert Roooza van ons Baeckelandts hier uit?' Adem, stinkend naar sigaren en miswijn, veel te dicht-bij, een hand op mijn schouder; de pastoor, hij ook al: Roza! Zonder twijfel overgehouden aan de roddel-ou-de-klare-avonden met bompa. En ik wás goddomme niet 'van ons Baeckelandts'. Oog in oog met de god-vruchtige vriend des huizes voelde ik mijn huid donker-rood worden. Meneer pastoor, in vol ornaat nog van de mis en het gladde voorhoofd in een frons, bekeek op af-stand het gescharrel met een lijkkist; de Eerwaarde was zijn plek gewezen, voortaan begroef de Pruis de doden.

'Meneer pastoor, ik kom in stilte Stan bewonderen,' zei ik, ik schikte het meisje in haar doek en trok de de-ken recht, het touw sneed pijnlijk in mijn vel. 'Ik kom eens kijken of het werk al een beetje vordert, want zo heel handig is ons Stanneke thuis meestal niet. Met een bijl ja, maar met vlechtwerk, met proberen de boel bij-een te houden...'

Geen idee wat in me voer, ik hoorde mezelf ratelen en zag mezelf zonder om te kijken weglopen. Er prikten ogen in mijn achterste en dat voelde slecht, verschrikkelijk slecht. In de bocht bleef ik staan en zocht steun tegen een tronk. De begrafenismis was hier, het kerkhof lag achter de draad en nu kreeg zelfs de familie van een dode geen toestemming om mee te gaan naar de laatste rustplaats; geen verstilde hand, geen haffeltje rozenblaadjes op de kist. Het laatste stukje dat de overledene aflegde werd hij geëscorteerd door Duitse bajonetten en begroet door de rug van een vlechtende Stan. Met grote gebaren opende een Pruis de poort in de draad en vervolgde de lijkkist haar weg, nagestaard door de verweesde kinderen en volwassenen met de handen voor ogen.

Ik prentte mezelf in dat je niet dood hoefde te zijn om aan de gekte te ontsnappen.

22

Het water moest van heel diep komen, het was ijskoud. Terwijl de grootste maat soepketel voldeed bleef ik, als voor een kudde koeien, doorpompen. Het kleine petroleumstel verwisselde ik voor de driepitter, zette de pan erop en morste. Mijn 'verrr-domme!' verbrak de stilte. Op het aanrecht dreven lucifers. Waar vond ik droge? Doosjes genoeg in de voorkamer, doosjes vol vlinders, maar met lucifers? Altijd zuinig, steeds van alles net genoeg; het meisje een koud bad? Alle lades trok ik open, zonder resultaat. In Stans broekzakken was het raak. Daar trof ik een aardige voorraad die ik deels in beslag nam. Het natte doosje legde ik in de zon te drogen. Zodra ik de driepitter ontstak mengde zich de geur van zwavel met die van petroleum. De lucht van ontbrandende zwavel bleef aan je vingers plakken, rook lekker. *Roos, laat dat!* Ik zat weer thuis aan de keukentafel met mijn vader, stak de ene lucifer aan met de andere, de zwavelkoppen tegen elkaar, wachtend op een steekvlammetje en dan snuiven.

Langzaam draaide ik de pitten hoger tot de vlammen langs de pan likten. De zinken wasteil paste precies op twee keukenstoelen. Met de zon erbij was het benauwd binnen; ik zette de teil buiten tegen de muur met mijn stoel ervoor. Als er niet te veel wespen waren konden we een plezierig uurtje hebben. Stan was naar de grens, de buurt leek uitgestorven. Even haalde ik de zeepklopper door het badwater, voelde dat het lekker lauw was en goot het buiten in de teil.

Zodra er iemand boven haar wiegje hing was madam paraat, alles was goed, als het maar bewoog. Ik kleedde haar uit en tilde haar boven mijn hoofd; ze spartelde en kirde luidkeels.

'Zooo stinkerd,' zei ik met opgetrokken neus, 'hier moeten we wat aan doen.' Met een doek over de ene en de kleine onder mijn andere arm, liep ik het huis uit. Voorzichtig liet ik haar in het lauwe sop zakken; van pure opwinding vergat ze te ademen en maaide met armen en benen door het water. Mijn rok was drijfnat. Met één hand trok ik hem uit en gooide hem over de pomp te drogen. In mijn onderbroek, gehurkt en op klompen, zo zou ik de Gentse modebladen nooit halen. Het meisje bleef spetteren, en lachen. Ik ook. Ik schopte mijn klompen uit en ging op de stoel zitten. Met mijn voeten in de teil en haar lijfje ertussen, pakte ik prutskes handen. Als een aap aan een boomtak omklemde ze mijn wijsvingers en bleef hangen; klein, klein meisje met je lange lijf. Stans lijf. Verbaasd over zoveel kracht liet ik haar zachtjes op mijn voeten zakken. Tien spierwitte knookjes losten niet, het leek haar geen enkele moeite te kosten. Zachtjes bewoog ik mijn voeten op en neer, het meisje schommelde, het water kabbelde, mijn bloed bruiste; dit waren *wij* en we konden ons geluk niet op.

'Prutske, stadse-fratsen-Florien zou content zijn als ze ons bezig zag. Meer dan eens preekte ze haar evangelie: wees proper, pas op voor ziektekiemen, het zijn levende wezentjes, te klein, veel te klein om met uw eigen ogen te zien, maar ze léven Roos, en erger, ze vermenigvuldigen zich razend snel en helemaal als het warm weer is.'

Het deinende en geinende wezen bleef me vanuit het badwater breed toelachen toen bompa verscheen met een kruiwagen mest. Op de hoek van het huis bleef hij staan en keek naar me, sloeg de ogen neer en krabde onder zijn pet, keek toen nogmaals en riep: 'Roo-za, zeggg, Roza, in godsnaam, wat bezíelt u!' Hij pakte de kruiwagen weer op en maakte hoofdschuddend rechtsomskeert. Du moment dat hij nogmaals omkeek stak ik net mijn tong uit.

'Jouw mamma gaat straf krijgen'; ik bleef haar onder water wiebelen met mijn voeten. Weg met alle ziektekiemen en bovenal, verboden te vermenigvuldigen. De kleine volhardde in haar kuiltjeslach.

'Ik heb maar één kuiltje,' zei ik, 'dat is het kuiltje in mijn ziel en daar woon jij, voor eeuwig. Komaan pruts, we moeten verhuizen.'

Ze krijste toen ik haar druipend onder mijn arm mee naar binnen nam, samen met het doosje lucifers dat ik, nog vochtig, weer in Stans broekzak frommelde. Dit keer zou ik mijn wandeling naar Mathilde afmaken. In rap tempo verschoonde ik het meisje en gaf haar de borst; rust. Wat kon die kleine een verschrikkelijke keel opzetten. Ging mijn plan door, dan moest ik ervoor zorgen dat ze in de beslissende nacht doorsliep. Mathilde zou er iets op verzinnen.

Nauwelijks denkbaar dat het zomerde, de polder lag er verlaten bij. Geen dampende paarden die karren met krakende assen voortzeulden, noch haver, gerst of aardappels; veel veldbloemen, meest klaprozen. De stukken land tegen de grens bleven onbewerkt en verwilderden. De akkers ondergingen een metamorfose die me het ene moment blij maakte, het andere moment somber; kon ik mijn gedachten uitschakelen...

Als de heilige maagd zelve op haar feestdag schreed, temidden van de veldbloemen, Mathilde ons tegemoet.

'Prutske, onze redder is op haar post.'

Vanuit de draagdoek geen reactie. De wollen deken over mijn schouders spoorde me aan op te schieten; toen ik terugzwaaide gleed de pan met gekookte aardappels uit mijn bezwete handen. Gelukkig, het deksel klemde. Ik had nog steeds de pest in over vanochtend. De legbak in de kippenren was leeg, geen ei te bekennen; alles meegenomen door Stan voor *Herr Schmetterling und seine Freunde*? Spek met eieren voor de Pruis, wacht maar, vriend Baeckelandt! Vanbinnen kookte ik, ik had Mathilde verse eieren beloofd. Ze zou er nooit om vragen, maar toch.

'Ah-ha, een deken,' riep ze, 'allez, kom hier.' Ik mikte de wollen lap over de sloot, greep een wilgentak en sprong; per keer ging het slootje springen soepeler. Bij de landing deed het meisje een oog open, en sliep verder. Mathilde begon meteen aardappels te eten.

'Lekker, nog warm,' zei ze.

'Lijd je honger?'

'Welnee kind, er is geen honger in de polder, maar zelfs een suikerwafel verliest het van een nieuwe, vers gekookte patat.'

Ze deed de draagdoek opzij en aaide prutskes wang: 'Zo zacht en rustig.'

'Schijn,' zei ik, 'allemaal komedie, wacht tot ze wakker wordt.'

Zwijgend liepen we naar Mathildes schuilplaats. De stilte was onheilspellend, ongewoon ook. Het gras ritselde onder onze voeten en in de verte zong de elektrische draad. Als de wind er goed onder zat, leek het monster te zingen, te zoemen soms, als een enorme zwerm muggen. In het zonlicht werd Mathildes dunne haar een knot van zijde. Ze keek me van opzij aan met een blik die niks verried, ze keek alleen, maar haar oude vrouwenmond stond te strak. Ze had zich bedacht, wou zeggen dat het een fout plan was, dat ze me niet ging helpen bij de draad, dat ze me niet wílde helpen zelfs, dat ik een moeder was van niks en dat het laf was om Stan nu in de steek te laten, dat ik een slecht mens was om zijn kind te stelen; stelen ja, hij kon er immers niet meer bij en dat ik, zodra die vervloekte oorlog voorbij was, geen leven meer zou hebben, omdat bompa samen met de pastoor zijn nageslacht kwam opeisen, ook al was het een meisje. Wie wegloopt verspeelt alle rechten. Had ik rechten?

'Roos, mocht Raf nog geleefd hebben, hij had jou geholpen,' sprak Mathilde op plechtige toon, 'zeker te weten. Raf had geen hoge pet op van de Baeckelandts.'

Ik duizelde, het weiland onder me golfde en ik begon te huilen.

'En daarom, kind, zal ik doen wat nodig is.'

Ik huilde en kon niet meer stoppen, ik jankte tot Mathilde ons zachtjes door elkaar schudde, in mijn bovenarm kneep en met een hoge stem zei: 'Maar besef jij goed wat voor risico's wij lopen?'

'Ik weet het,' fluisterde ik, 'maar ik kan niet meer, ik kan het echt niet meer. Stan...' Alles in me trilde. Nog nahikkend maakte ik het meisje wakker, wou even ons oogcontact, maar prutske was kwaad en blèrde nog harder dan ik. We haastten ons Mathildes hut in, ik knoopte de warme draagdoek los en wiegde haar. Het was donker binnen, ik knipperde mijn ogen droog.

'Die kleine sirene, Roos, dat is het eerste waar we iets op moeten vinden.' Ze klonk kordaat, er verscheen een miniem lachje rond haar mond, een klein veelzeggend lachje, 'zorg dat je vanaf nu oude jenever in huis hebt.' In mijn hoofd nog steeds de redenen opsommend die mijn vlucht afkeurden, vroeg ik niet door. Mathilde bleef me verbazen; oude jenever, waarom?

'Eet nog wat,' zei ik, om intussen mijn gedachten op een rij te krijgen. Haar dak was dicht, het liet geen straaltje licht meer door; toch stonk het er minder dan laatst. Het droge weer en de oostenwind werkten gunstig op de plaggen. Mathilde zat met de pan aardappels op schoot, de bodem was in zicht; het mens had wél honger!

'Die deken' zei ik, 'die is onmisbaar, die deken blijft bij jou en je moet erop letten dat ze droog blijft.'

Ze knikte, trok kauwend een wenkbrauw op.

'Na lang aandringen vertelde Stan me trots hoe het zit met de draad, hoe elektriek werkt, dat het net zo gevaarlijk is als de bliksem en dat de Pruisen geniaal zijn, natuurlijk, maar dat er desondanks toch mensen naar Holland vluchten. Ze hebben ontdekt dat die elektrieken draden niet doen wat ze moeten doen met wollen dekens er rond, mits die kurkdroog zijn.'

'Aha,' antwoordde Mathilde met volle mond, 'juist.' Ze zette de pan neer en wreef haar handen af aan het stro in haar bed, torretjes kropen vanonder de planken; 'kijk, ik spreek geen Duits, maar ik begrijp wel wat ze zeggen. 's Nachts bij het *Schalthaus* valt veel te leren. En niet alleen over vleermuizen en patrouilles.' Ze streek de haren uit haar ogen en keek me aan. 'Dat vindt Florine trouwens ook.'

Ik schrok, ik schrok ervan die naam te horen in dit donkere hol. Niemand mocht ook maar enig vermoeden krijgen van mijn plan. De bemoeienissen van de

Baeckelandts met de Pruisen maakten mijn vlucht gecompliceerd. Bekende passeurs durfde ik om niets te vragen. Spionnen zaten overal; er liep hier meer dan één Judas rond. Ogen en oren wijd open en met hulp van Mathilde mijn eigen plan trekken, dat was wat me te doen stond.

'De sterren staan gunstig,' zei ze, 'de kleine luchtballon met die loerende Pruis erin hangt binnenkort een paar kilometer verder. Vannacht maakten ze ruzie wie er de laatste week in mocht; mannen, het blijven kinderen.' Ze pakte het meisje van me over en bood haar pink als speen. Mijn oren suisden, onze redder wist alles. Mathilde speelde 's nachts voor luistervink bij het soldatenverblijf. Mijn hemd was nat van de lekkende melk.

'En een eind het bos in, aan de Hollandse kant, staat er een meter of vijftig geen prikkeldraad, dat zijn die genieën van Stan gewoonweg vergeten.' Ze hapte kort naar adem. 'Roos, vergeten! Florineke stond op ze te wachten zeker?'

Een stuk met slechts twee draden, dat was een cadeau.

'Dan moet ik maar niet te lang meer wachten,' mompelde ik.

'Als uw mamma wist wat ik met haar dochter deed.' Vuurrood slikte Mathilde de laatste aardappel door. Mijn plan hield haar al weken bezig.

'Aan ons om ervoor te zorgen dat je moeder alleen de goede afloop kent.'

'Mathilde, ik kan u niet zeggen…'.

'Zeg maar niks kind, ik neem je niets kwalijk.' Ze zette haar scheefgezakte Mariabeeld rechtop, prutske protesteerde en kreeg acuut haar vinger terug, 'je kunt je tot het laatst bedenken, Roos, slaap er nog eens een nachtje over.'

Slapen, het kwam er amper van, in mijn hoofd kon ik al lang niet meer terug naar Stan; in mijn hoofd zat ik al veilig thuis aan de keukentafel te ruziën met mijn koppige vader. Hier bewoog alleen nog mijn omhulsel als vanzelf van de ene plek naar de andere. Onze verwijdering moest niet lang meer duren of Stan zou doorkrijgen dat er iets niet klopte. Met alle tederheid in hem bekroop hij me iedere avond in onze kuil, de lijmpot van de liefde die allengs droger werd en verhardde; ik kon er niet onderuit, werd er levend in begraven. Het was een kwelling en een veel te groot risico. Voor het eerst telde ook hij de dagen van de maand en leek er voor alle zekerheid niet één te willen missen. Zijn zoon moest er komen. Met dun potlood gaf hij het gunstigste moment van inzaaien van zijn vruchtbare akker op onze kalender aan, een klein rondje vlak onder het dikke, zwarte cijfer, hij dacht dat ik het niet door had. Was je zelf die te ontvangen akker, dan rinkelden de alarmbellen als aan de draad. Iemand moet hem hebben uitgelegd hoe een vrouwenlijf werkte, althans, de klok ervan.

'De nachten zijn het moeilijkst,' zei ik, 'hoe pakken we het aan?'

'Roos, je bent toch niet weer in verwachting?'

'Niet dat ik weet.' Dan zo luchtig mogelijk, 'als het droog weer blijft wil ik zondagnacht.'

'Waarom dan al?'

Mathilde stond op met het kind in haar armen; haar dak kraakte in de felle oostenwind.

'Na een avond kaarten in het café ronkt Stan als een os,' zei ik.

En het zou bovendien de eerste nacht zijn zonder die Pruis in zijn mand boven de grens, nog wat licht van de maan en hoogstwaarschijnlijk droog. Het weer kon zo omslaan en in het pikdonker te moeten rondscharrelen bij de draad, maakte me extra zenuwachtig.

'Dan heb ik vier dagen om te graven,' zei Mathilde 'voor losse bosgrond is dat genoeg, als de Pruis tenminste wegblijft bij *ons* stuk draad.'

Het zou rampzalig zijn als die missende vijftig meter prikkeldraad te vroeg ontdekt werd. Niet aan denken. Mathilde kon het vanaf nu dagelijks controleren. Zij viel overdag niet op, ze was al tijden in de weer met haar schop en haar kruiwagen. Voorzichtig trok ze haar pink uit prutskes mond, die nu doorsabbelde op niets.

'Voor de prikkeldraad is niet veel nodig.'

Ze maakte met haar hand het knippend gebaar van een schaar. Haar doorweekte pink stak bleekroze af bij de rest van haar vingers.

'De onderste twee draden knip ik door en draai ik met één slag weer dicht, daar is op het eerste gezicht niets van te zien.'

'De kleine en ik moeten er onderdoor kunnen,' zei ik, volkomen overbodig.

'Dat gat moet dus dieper zijn dan voor mij alleen,' dacht Mathilde hardop, 'jullie zitten aan elkaar vast.'

Reken maar dat wij die nacht aan elkaar vastzaten, de knoop van mijn draagdoek zou geen moment lossen. Met één hand opende Mathilde de dekenkist met de nalatenschap van Raf: zijn grootste schaar, een bak vol hamers en schroevendraaiers in alle maten, een pot roestige spijkers; hoeveel duiventillen had Raf in zijn leven gebouwd? De meeste duiven van het dorp hadden dankzij Raf een riant onderkomen.

'Alles rot hier onder mijn kont kapot,' riep Mathilde naar boven in het niets, 'Raf, jongen, grijp eens in' en ze zwaaide met zijn verroeste schaar.

'Die deken knip ik in vieren,' tegen mij nu, 'dat is handiger om over de draad te gooien, iets voor het allerlaatste moment, dat moeten we samen doen.'

Ik besefte, ik wist niet waar ik ooit sterven zou, of wanneer, maar met die deken in mijn handen kwam de dood ineens erg dichtbij. En als ik ging, ging ik niet alleen; pleegde ik diefstal, of een moord zelfs, als het misging…? Roofde ik Stans kind? Weg, stil! Tot het alleruiterste moest ik die gedachte verdringen, ze maakte me bang en zou me hinderen, verlammen zelfs. Doorzetten, ik moest nu volhouden, geen getwijfel meer. Mathilde wilde prutske aan me teruggeven maar bleef de kleine aankijken, hield haar naar het licht en zei: 'Zeg, als wij nou eens afspreken dat ík jou leer lopen,' ze drukte haar gezicht op het buikje van de kleine, 'dat kunnen wij toch gewoon afspreken?'

Dacht deze wijze vrouw dat zij de grote oorlog naar haar hand kon zetten? Was ze er, zoals zovelen, van overtuigd dat de Pruisen binnen een jaar met de staart tussen de benen zouden vertrekken? Wat bedoelde ze?

'Mathilde?'

'Ja kind.'

'Wat bedoel je precies?'

'Ik bedoel precies dat ik hier natuurlijk niet kan overwinteren en dat ik daarom besloten heb om mee te gaan.'

'Jij gaat mee?'

'Ik ga mee.'

'Jij gaat zondag mee, met óns?' Ik schrok van mijn stem.

'Wel ja, ga buiten staan en waarschuw de Pruis alvast dat we eraan komen.' Over haar voorhoofd liep een diepe rimpel. Ze vertrouwde mij de vlucht in mijn eentje niet toe; te onbesuisd, te onervaren.

'Mijn koffers staan klaar,' fluisterde ze.

'Zeg nou zelf, ik kan toch niet overwinteren in dit hol,' ze rekte zich uit, 'hoor, mijn knoken kraken nu al.'

Mijn stem was zoek.

'Roos,' ze boog voorover, 'Raf zou zeggen, Tilleke, is dat rattenhol nou echt het beste wat je voor jezelf kunt bedenken?'

Ik zag alleen nog haar gezicht, door grijze, vette pieken omlijst en toch chique; doorheen al het vuil bleef daar Mathildes kalme, zelfverzekerde blik, een blik die al wie hem ontmoette suste, bemoedigde, geruststelde, zelfs in een akelige toestand als de onze.

'En dan zou ik Raf moeten antwoorden van 'nee'; dat dat verre van het beste voor me was, maar dat ik koppig weigerde en zou blijven weigeren een Pruis te gehoorzamen. Zodoende hebben de engel van dienst en ik, ze wees op het Mariabeeld in de hoek van haar bed, tezamen besloten dat het beter was dat ook ik zondag naar Holland zou vertrekken.'

Op dat moment ratelde de alarmbel bij de draad. Aan de grens werd geschoten, het schot galmde nog lang na in mijn hoofd, net als de opmerking van Mathilde: 'Spaar je zenuwen Roos! Wij zullen ervoor zorgen dat wíj níet op het ezelspan van Dries belanden, wíj gaan niet linea recta naar het dodenhuisje.'

Dodenhuisje - dodenhuisje - dreunde het door onder mijn schedeldak; de schroeilucht van vers gebrand varken drong mijn neusgaten binnen. Alle bloed trok weg uit mijn gezicht, de hut werd donkerder, fel gekleurde bollen tolden voor mijn ogen, ik liet me op het bed zakken. Mathilde gaf me prutske en met onze wangen tegen elkaar ging mijn bloed weer stromen. Van opzij zag ik hoe Mathilde, haar hoofd een beetje schuin, het porseleinen tafeltje streelde. Compassie bekroop me bij de gedachte dat ze zondag haar laatste spullen hier moest achterlaten -ik snoof eens flink aan prutskes kruin- en god weet voor hoe lang. Niets wees erop dat deze vuile oorlog snel voorbij zou zijn. Soldaten genoeg, mannen in overvloed, vrijwilligers zelfs; de man, o die man, van nature soldaat, oorlog voeren is zijn terrein, de zege is al waar hij naar streeft.

Zie ons hier zitten; verliezers? Mathilde was zowat alles kwijt, ik was op de vlucht en oneindig veel sukkelaars werden levend begraven. Met grote toewijding door hun moeders gekoesterd, vaders spaarden het brood uit de mond om hun zonen vervolgens te laten stikken in de polderblubber rond Ieper; oorlog kent geen winnaars.

'Die porseleinen tafel gaat mee,' zei Mathilde, en ze zette het tafeltje op zijn kant, 'elektriek doet niks met porselein.'

Dat had Stan er niet bij verteld. Meed hij het woord opzettelijk, na onze ruzies over borden met lelies?

'Je moet het gezien hebben, Roos, de dodendraad zit rond porseleinen potjes gewikkeld.' Ze zette het tafeltje weer op zijn plaats. 'De potjes zelf, die kun je aanraken, ik heb gezien hoe een Pruis uitleg gaf aan Dries, het zelfs toonde met een wijsvinger.'

'Maar natuurlijk,' riep ik opgewonden, 'we draaien het op zijn zij onder de draad met de dekens.'

'Stil gij!'

Geschrokken drukte ik het meisje tegen mijn mond, de pruts knorde content.

'Excuus,' fluisterde ik.

'Al goed, al goed, ga naar huis en komt tot rust, je ziet lijkbleek.'

Toen schoot me Mathildes opmerking over de jenever te binnen. Ik stond op en vroeg haar waarom ik oude klare in huis moest hebben.

'Voor een tut natuurlijk. Om een tut te maken van een zakdoek met suiker, gedrenkt in jenever.' Haar lach maakte haar rimpels dieper. 'Als de vader daar goed op slaapt, dan doet zijn dochter dat vast en zeker ook.'

Ons cafébazin had een simpele oplossing voor prutskes sirene. Ik bond de kleine in haar draagdoek en kuste Mathilde op beide wangen: 'Tot overmorgen, ik neem eten mee.'

Langs het pad krasten de kraaien, het meisje had met beide knuisten mijn bloes te pakken; er woei zand in mijn ogen.

23

In mijn gedachten scharrelde Mathilde rond met kruiwagen en schop; had ze het eerste gat al gegraven? En
onzichtbaar toegedekt? Ze leek gister erg zeker van haar
zaak, onze zaak. Naast haar hut lagen de langste takken
die ze had kunnen vinden, Mathilde keek graag vooruit.

Midden in het kippenhok had ik uitzicht op de polder
badend in de ochtendzon, en uitgestorven. De lucht was
zwaar, geen zuchtje wind, de stank van kippenstront bleef
binnen hangen. Rondom me tikten de kippen nieuwsgierig met hun snavels tegen mijn klompen, ik was welkom in hun huis. Mijn eiermand raakte zoetjesaan vol;
vandaag geen goede werken van Stan voor de Pruisen,
er was paniek. Een vervroegde bietenoogst diende zich
aan, bompa was in acute nood. Boer Schellekens had in
bompa's suikerbieten hartrot ontdekt en groot alarm geslagen; in korte tijd kon de ziekte het hele veld en dat van
zijn buren ruïneren. Misschien was het al zover. De zwart
verrotte bietenkoppen staken net boven de kurkdroge
grond, het rot kon ieder moment naar binnen slaan.

Gisteravond stond bompa voor de deur. Voor mij
niet onverwacht, ik was ervan overtuigd dat hij me,
waar Stan bij was, de les kwam lezen vanwege de
badscène 's morgens buiten met prutske. Het liep anders. De ouwe beefde over zijn hele lijf en stond te
vloeken als een dragonder; tegen wie precies was niet
duidelijk. Vooral tegen zichzelf, zo leek het, omdat niet

hij de plaag ontdekt had maar een buurman en dat was zijn boereneer te na. En om het geld, vanzelf. Hartrot vrat aan zijn beurs.

Onrust vrat aan mijn hart. Een dreigend gevoel won het van de opluchting over alle hulp die Mathilde me bood. De stank van de kippen sloeg op mijn adem, ik kokhalsde en greep naar mijn onderbuik.

Terwijl de ouwe tierde, was de jonge verbaasd braaf blijven knikken.

'We kunnen godver fluiten naar ons geld, veel en veel te weinig suiker.'

Suiker, warme rek, de kermis; de cupido's van de spiegeltent waren verdwenen, verwaaid als poedersuiker bij het eerste zuchtje wind.

Bompa was blijven roepen: 'Geen suiker, geen geld, enkel varkensvoer en we hebben geeneens varkens,' en dan met zijn armen zwaaiend, 'nondedju-van-heel-mijn-leven-nog-nie-meegemaakt!' Zijn pet met een donker, zeiknat randje lag voor hem op de keukentafel, het zweet druppelde door de dunne wenkbrauwen regelrecht zijn ogen in; hij wreef, knipperde en begon opnieuw te razen.

'Merci,' zei hij zonder me aan te kijken, toen ik hem ongevraagd een flesje fluitjesbier aanbood. Niet uit compassie, maar omdat hij even zou zwijgen. Zijn adamsappel danste. Als bompa panikeerde bleef hij herhalen. Paniek zaaien kon hij als geen ander, wachten met het rooien van de suikerbieten was uitgesloten. Zodoende waren de mannen vandaag al bij het eerste morgenlicht de polder ingetrokken.

'Maak u niet zo druk,' probeerde Stan hem nog te sussen, 'het is slecht voor uw gestel' en hij ging voor hem staan, 'het komt allemaal goed vader, echt, mijn werk aan de grens ligt voor een kleine week stil.'

Ik voelde hoe ik bloosde toen Stan mij ineens recht in de ogen keek, mijn blik vasthield en knipoogde: l'amour, au secours! De knoop in mijn maag was terug.

'Hoe-dat-dan?' had bompa geroepen, 'de champetter geen werk?'

'De hulp-champetter,' bitste ik. Niemand reageerde.

'De ballonmand met de Pruis erin verhuist kilometers verderop,' Stans stem ging omhoog, 'en nu proberen ze de verlichting,' hij schraapte de keel, 'ja, ze proberen de verlichting aan de grens werkend te hebben du moment dat die mand daar weggaat.'

'Ver- verlichting?'

Mijn spierwitte knokkels zochten houvast rond de stoelleuning. Verlichting langs de draad. Wat nu? Mijn denken sloeg lam, ik wou van alles vragen, weten, niets schoot me te binnen.

'Schildwachten gaan schijnwerpers bedienen.'

We staarden hem aan. De wandklok tikte oorverdovend. Door het keukenraam liet de avondzon de glanzende slinger per seconde flitsen. Tik, flits, tik, flits...

'Ja, schijnwerpers, dat zijn grote bakken met licht die ze naar alle kanten kunnen draaien. Deze week wordt er in ieder geval één bovenop het *Schalthaus* geplaatst.'

Waarop ik uitademde. Onze vluchtplek in het bos bleef nog voor even buiten het bereik van dat nieuwe schijnlicht. Maar voor hoelang?

'Kijk nou,' riep bomma luid, 'en wij maar zoeken, híer is jouw mamma.' In de deurpost van het nachthok stond ze, met prutske op de arm. Bomma's kastanje krullen plakten als een vraagteken op haar voorhoofd met de wrat boven haar neus als punt.

'Wat nu? Mamma Roos ziet zo wit als een laken op de bleek.' Ze keek naar het kind maar sprak tegen mij.

'Slecht geslapen, bomma, de hitte,' mijn lach was een zenuwtrekje. 'Ik was beter zelf ook op de bleek gaan liggen, vannacht.'

Ze monsterde me van boven tot onder, maar zweeg.

'Ik ben hier klaar,' perste ik eruit en ik haastte me langs haar heen naar buiten. Bomma volgde me dwars over het erf. Bach liep jankend rondjes in zijn ren; hij wou op pad met Stan. Niet vandaag, beest, vandaag is het rottebietendag. Ik negeerde de hondenren. Maar nee, Bach negeren lukte me niet. Zou hij me straks missen? Of had hij genoeg aan Stan? Waarschijnlijk was Bulder al aan stukken gereten op het slagveld, met munitiekar en al ontploft. Ik keerde om, liep naar de ren en liet Bach eruit, hij volgde me naar binnen; zijn staart sloeg de plooien uit mijn rok.

'Mag ik de kleine eens in haar badje doen?' Bomma had die smekende blik met een oogopslag zó herkenbaar, dat ik ervan rilde. 'Toeoeoe, Roosje, laat mij...' Het was Stan, die ik hoorde.

'Maar natuurlijk mag dat,' zei ik, terwijl iedere spier in me verstrakte. Dat wordt dan de eerste en de laatste keer, echode het in mijn hoofd terwijl ik de volle eiermand voorzichtig onder de keukentafel schoof. Bach ging er smakkend naast liggen.

'Het water staat al op,' mompelde ik, om iets te zeggen. Het was vreemd, bomma had nog nooit gevraagd om prutske in bad te doen. Niet bompa, maar zij had zich dus voorgenomen mij de les te lezen hoe ik Stans kind, hun kind, moest opvoeden. Niet buiten in mijn onderbroek. Wel, onze-lieve-heer moest waar nodig maar even zijn ogen toedoen, dat deed hij immers boven Ieper ook. Er ging geen dag voorbij of ze lieten me merken waarin ik zoal tekortschoot. Vastbesloten mij aan te pakken over hoe ik moest praten, zwijgen, eten, drinken, knielen, bidden en zingen, hoe me te kleden in dit gehucht, stond bomma in alle vroegte voor mijn deur, maar te laat, bomma, te laat.

Toch voelde ik me naast haar steeds kleiner worden en zij was niet eens de slechtste. Het bedwingen van de voortdurende neiging te gaan huilen maakte me dood-moe.

'Jij en ik,' zei bomma, terwijl ze prutske begon uit te kleden, 'wij hebben heel veel geluk.' Ze sprak traag, op een manier die ik niet van haar gewend was. Ik keek haar aan, opende mijn mond en sloot hem; heel veel geluk? Een blinde kon zien hoe ongelukkig ik was. Ze koesterde het blote kind, leek voorlopig niet van plan het los te laten. Tevreden nestelde prutske zich tussen bomma's borsten.

'Wij mogen van geluk spreken dat de mannen van onze Stan zijn geboortejaar niet naar *Denijzer* worden geroepen.'

Ah, juist. Wel, het was hoe je ernaar keek. *Denijzer* stond alom voor oorlog, voor alles wat slecht was, verrot en lelijk, en onlangs was daar door de Pruis nog eens het pure gif aan toegevoegd. Ik moest er niet aan denken dat Stan zou vertrekken naar de loopgraven om daar met honderden per dag als een konijnenplaag te worden uitgeroeid, maar of ik hem zou missen? Missen kun je alleen iemand die echt bij je was… ik dacht aan Mathilde, aan haar door prutske week gesabbelde vingers. Was het mogelijk dat zo'n kleintje bomma al zou missen? Op dit moment was denken niet goed voor mij. Mijn blik dwaalde naar de foto van de Braziliaanse boerin, omgekruld tussen de latjes van de keukenkast, er was niets te zien en ik wist precies wat ik zag.

'Roos toch, van wie droom je?' Met haar ene hand veegde ze het vraagteken van haar voorhoofd, de andere omvatte in één greep de rug van het meisje.

'Allez vooruit, geef mij water, voordat de kleine weer slaapt.'

Ik leegde de emmer in de teil. Bij het geluid van het stromende water kwam prutskes hoofd los van bomma's boezem.

'Kijk nou, die waterrat hoort dat,' riep ze lachend, 'kijk nou toch, ze spartelt als een vis op het droge.'

Prutske zwaaide met armen en benen toen ze te water ging en zette de keukentafel blank.

'Da's de moeite, zeg,' zei bomma, 'dat wordt er een, zeggg…,' haar mond hing open, 'het is te begrijpen dat je af en toe buiten zit.'

Daar was dan eindelijk waarvoor ze gekomen was. Ik zette mijn voeten plat op de grond, de ellebogen op tafel, rug recht, maar er kwam niets. Het was aandoenlijk zoals ze met het kind speelde; het kind genoot, zij straalde, er was warmte. De tafel droogwrijvend bleef ik haar aankijken. Ik bestond niet meer, tot plots de alarmbel van de grens onze keuken binnendrong.

'Er hangt er weer een aan de draad.' Bomma's gezicht verried geen gevoel. Ze keek me aan alsof het normaal was dat er dagelijks iemand verschroeide. 'We kunnen gerust zijn, onze mannen zijn veilig in de polder.'

Mathilde, die is aan het graven! Paniek. Een duizeling. Mijn hart sloeg tellen over.

'Roos, wat is er?'

Ik voelde me van kleur verschieten.

'Kind toch, dat is Stan niet, die is daar nu niet.'

'Misschien Mathilde?' Er zat iets op mijn stembanden.

'Die zottin, huist die daar nog altijd in haar hol?'

'Bomma, Mathilde is de beste vriendin van mijn moeder en verre van zot.'

Ik schoot harder uit dan mijn bedoeling was.

'Goed, goed,' zei ze zacht, 'misschien niet zot, dan toch heel koppig.'

'Ze laat zich door de Pruis niet wegjagen,' zei ik op wat mildere toon. Maar ik wist beter, ze liet zich wel wegjagen. In al ons malheur wisten wij beiden niets beters dan te vluchten. Waar was ze nu? Die bel werd een kwelgeest. Wat, als Mathilde verongelukt was?

'Ik zou willen dat ze die schel afzetten, nú.'

'De Pruis heeft ons wat te leren,' sprak bomma plechtig en ze tilde prutske uit het water. Die zette een keel op waarna bomma haar braaf weer liet zakken.

'Dat is het temperament van de mamma,' zei ze in het niets.

'Bomma, laat die kleine nog even en stop met het rond de pot draaien.'

Ze werd vuurrood. Keek verbaasd. Misschien was ze boos, dat kon ook.

'Excuseer bomma, het is niet lelijk bedoeld.' Ik stond op: 'Ik wil u niet kwetsen, maar ik voel dat er iets broedt en het is geen kip.' Ik gebaarde dat ik de kleine van haar wilde overnemen, ze reageerde niet.

'Eerlijk gezegd, kind,' ze haalde diep adem, 'jaja, je bent nog een kind.'

'Mijn leeftijd was nooit een geheim,' sneerde ik, 'niemand vond dat een probleem, Stan nog het allerminst.' Mijn benen liepen vol pap.

'Kind, ik wil je alleen maar helpen.'

'Dank u, ik red me wel.' Prutske keek plots mijn kant uit.

'Roos, het zou geen kwaad kunnen als je wat minder de koppigaard zou uithangen.' Zachtjes bleef ze het meisje in het water wiegen. 'En je moet ook beloven dat je nooit meer in je onderbroek buiten komt.' Stilte. 'En ook niet op blote voeten.' De klok moest zeven keer slaan, bomma wachtte wiegend de laatste slag af en zei toen: 'Er wordt veel, veel te veel over gepraat.'

Dat was eruit. In één vloeiend epistel. Ze had geleerd van mijn directheid. Bach likte mijn klompen. Ik wou prutske terug, maar ze ging door.

'Én nog iets. Het wordt hoog tijd dat je vriendelijker wordt tegen je schoonvader.'

Nooit zou het me lukken vriendelijk te zijn tegen die keikop. Ik zweeg.

'Bompa is geen gemakkelijk mens, ik weet dat.' Haar ogen rolden zowat uit hun kassen. 'Maar jij gaat voor hem op de loop als de duivel voor een zwier wijwater. En de kleine meedragen in zo'n wikkeldoek, al die aanstellerij, Roos, je kreeg van ons een wagen.' Ze gebaarde met haar hoofd naar de kinderwagen in de hoek en vervolgde: 'Ons Florine kwam thuis met het nieuws dat...'

'Stop het!' Genoeg nu. Twee knopen sprongen tegen de muur de keuken in, ik trok mijn hemd los en griste prutske uit bomma's handen: 'Geef hier, het is verdomme geen koekoeksjong!' Mijn stem sloeg over, het meisje huilde, kletsnat legde ik haar aan, rillend over mijn hele lijf alsof ik koorts had. Bomma zat versteend achter de teil, de handen nog onder water. Haar ogen werden rood, haar lippen één lijn. Deernis bekroop me, ze was gestuurd. En bomma stelde geen vragen, was haar levenlang gewend om blind te volgen. Zo ging het en zo zou het blijven; iedereen die het toeliet werd vroeg of laat door bompa afgericht, zelfs de haan.

Na onze trouwmis had de ouwe me bij zich geroepen: 'Rooo-za,' toen al, 'Roza-kind, kijkt ne keer hier, het is om van te leren.' Temidden van de feestgangers, onze-lieve-heer-gelijk, toonde hij fier hoe het hem gelukt was om de grootste haan, zijn trots, te dresseren met zijn snavel bompa's schoenveters los te trekken.

Vanmorgenvroeg had hij bomma gecommandeerd en gedwee was de vrouw op pad gegaan om mij een schrobbering te geven. Het ging haar niet best af. Bleek en doorschijnend als een porseleinen poppenkop knipperde ze met haar ogen. Met mijn vrije hand greep ik onder water de hare. Ze kneep hard.

24

De molshopen omzeilend zigzagde ik door de wei naar Mathilde met in mijn hoofd de voortdurende echo van het grensalarm. Haar hut was verlaten, het was er doodstil. Binnen keken Raf en de heilige maagd de andere kant op, niemand maakte contact of het moest de pissebed zijn die knapte onder mijn klomp. Op de vaste plek van de kruiwagen stond niets. Door het lange gras liep een spoor naar de bosrand. Met de steken nog in mijn zij zette ik het opnieuw op een rennen; ze was nog in leven! Daar zat ze, tussen de varens tegen een boom, met blauwpaarse lippen, een handjevol bramen en een contente blik; tot ze mij zag. Haar haren klitten, ze stonk naar oud zweet en beschimmelde bosgrond, haar lijf kon haar niets meer schelen. Het werd tijd om te vertrekken.

'Vort, weg jij, wat heb ik gezegd? Waar is de kleine?'

'Bij bomma gelaten. Het alarm ging af en die schel, die schel blééf maar rinkelen, een en al paniek in mijn kop, ik moest op zoek.'

'Kind toch, paniek weet zich geen raad met malheur,' gromde ze en ze wees naar twee verse konijnenholen. 'Kijk, de Vlaamse reuzen doen het ons op hun gemak voor. Zo'n mooi rond gat, dat gaat ons niet lukken.'

Ze hurkte voor de opening van het konijnenhol en riep zachtjes: 'Pas op voor Reintje de Vos, zijn snuit past er precies in…'

Mathilde, de hoedster van mens en dier. Zij die me ging verlossen uit de verstikkende wereld van slikken en zwijgen. Met een van pijn vertrokken gezicht kwam ze overeind.

'Mijn sleetse lendenen kraken, Roosje, let op mijn woorden, het weer slaat om. Als het zondagavond regent, gaat ons avontuur niet door.'

'Dat kan niet. Dat kan helemaal niet.'

Houtduiven klapwiekten alle kanten op.

'Ssssst, verdorie!'

'Mathilde, geen uitstel, alstublíeft,' siste ik.

'En waarom? Laat horen.'

'Het laatste nieuws van Stan, de Pruis gaat verlichting plaatsen langs de hele dodendraad, te beginnen bij het *Schalthaus* en zo stukje bij beetje deze kant op.'

Mathilde haalde haar schouders op, reageerde amper. Zij geloofde Stan niet. Misschien moest ik zijn praat over alles wat met de draad te maken had ook wat vaker in twijfel trekken.

De oude wijze stuurde me weg met de boodschap dan maar gauw te gaan doen wat ik dacht nog te móeten doen.

Bij thuiskomst stonden er naast de pomp twee zinken emmers, een was gevuld met peren, de andere met perziken. Van bomma, zonder twijfel. Ingemaakte peren, het lievelingseten van Stan. Soit: 'In nood vreet de duivel vliegen,' herinnerde ik me plots mijn opa's uitroep en grimlachte. Geschrokken van mijn eigen gedachten vloog ik de keldertrap af om weckflessen. Liet ik het fruit voor wat het was, dan zou ik vragen krijgen die niet te beantwoorden waren. Acuut wecken voorkwam die vragen en zorgde er in ieder geval voor dat Stans 'zoete tand' voorlopig niks te kort kwam. De koelte van de kelder voelde aangenaam. Vanaf de onderste tree telde ik de lege potten. Net voldoende, schatte ik. In de volle potten zat het hanenvlees rosebruin tegen het glas geplet, hier en daar een botje dat me als een scheel oog aankeek, omringd door een grillige lijn gestold vet. Naast me lag een haffeltje weckringen; een voor een katapulteerde ik de elastieken de kelder in, secuur mikkend op de aardappelbak. Alle keren raak. Kijk nou, Louis moest me bezig zien, hij zou trots zijn op me. Niemand schoot met zijn katapult de kersen uit de boom zoals hij. Jaren geleden; opeens was hij weg, verhuisd, met zijn ouders terug naar België. En nu? Er viel een dun streepje licht door het kelderraam. De bak was leeg en zou pas weken nadat ik verdwenen was gevuld worden met de wintervoorraad aardappelen. Zout rolden de tranen over mijn lippen, ik likte, stond op en viste de rubbers uit de wit gekalkte bak. Het pleisterwerk trok een streep dwars over mijn rok. Wrijven hielp niet, de kalkstreep bleef. Louis ook. Zo goed als zeker lag mijn verboden kameraad niet met een katapult in de boomgaard, maar met een geweer in de loopgraven. Al die doden van de Westhoek, altijd iemands vader, altijd iemands kind.

Aan weerszijden van het kelderraampje groeide klimop naar binnen, spinnen scharrelden door de oksels van de groene armen tegen de muur; hechten bleek dus mogelijk, in dit huis. Ik liet de klimplant ongemoeid en besteeg met de weckketel op mijn heup de keldertrap. Opnieuw vulde bomma de deurpost; al de hele dag zat het mens me op de hielen, jeuk kreeg ik ervan. Ze monsterde me van onder tot boven.

'Wat is er gebeurd? Zo bleek, zeg!' Weer. En dan lachend: 'Spookt het in de kelder? En dat op klaarlichte dag.'

'Er is niets, helemaal niets. Waar is prutske?' Zacht-jes duwde ik haar met de ketel opzij en liep de keu-ken in. Louis was geen spook, Louis was een hele, hele mooie herinnering.

Uit de kinderwagen buiten kwamen geruststellende gelui-den. In deze hitte wecken, zot moest je zijn; even schuur-de ik mijn kriebelende rug tegen de deurpost, pakte toen de emmer perziken en begon de pitten eruit te peuren.

'Roo-za, toch altijd eerst uw bokalen úitkoken!' Bomma, met een gezicht alsof ze een slok azijn nam.

Zomers lang had ik mijn moeder druk in de weer gezien met kersen, pruimen, appels en altijd had ik ge-roepen dat dat geweck niks voor mij was; ze had het steeds afgedaan met een 'ach kind, dat komt nog wel' en nu stond ik hier, met twee linkerhanden en emmers vol zoete, bijna rottende zooi die weggewerkt moest worden. Waar waren de varkens als je ze nodig had? Bomma stuurde me weg om prutske te voeden.

Op mijn bankje onder de notelaar kwam ik min of meer bij zinnen. Wat maakte me nou zo kwaad? Onre-delijk zelfs. Ik schaamde me voor mijn gedachten, maar ze bleven. Bomma wou slechts helpen. Mijn zenuwen voor wat komen ging liepen hoog op, ik duldde nie-mand in de buurt die mijn plan kon dwarsbomen en besloot bomma naar huis te sturen, meteen. Met pruts-ke nog aan de borst liep ik de keuken in.

'Bomma, het is goed, laat het allemaal staan, ik red me wel.'

'Maar nee kind, ik heb het op de stoep gezet, dan zal ik helpen ook.' Ze schilde stug door.

'Bomma, naar huis, nú!' Haar mes kletterde op de plavuizen. Ze liet het liggen. Terwijl ze haar handen droogwreef aan haar schort, ving haar boze blik de mijne, ze bleef me aanstaren met dat gezicht waar moeiteloos een hard leven in te lezen viel; ik keek zo kwaad mogelijk terug. Ze kwam naar me toe, aaide met haar wijsvinger prutskes wang, gaf het kind een kusje en verdween. Het was niet ondenkbaar dat ik de oude vrouw nooit meer zou zien. Toen ze het meisje kuste kriebelden haar haren op mijn huid. Het kostte enkele bekers water voor mijn ademhaling weer op orde was; bomma ving alle klappen op, zij was de enige levende ziel voorhanden waarop ik mijn woede over een droom aan diggelen koelen kon.

Op een eindeloos repeterend deuntje pruttelde de weckketel de keuken warm en klam, het open raam hielp niets. In de tuin verdwenen hommels in kelkjes van kattenkruid en landden witjes op de struiken; Stan was nergens te bekennen. Mijn nagel scheurde, ik beet op het velletje en proefde bloed. Kon niemand me geruststellen? Zou er tenslotte íemand begrip tonen voor mijn vlucht? Roos, de hoop is terminaal ziek, zou zuster Emma zeggen; en toch... Vertwijfeld hing ik in de vensterbank, maar het was niet het moment om mistroostig en jaloers vrije vlinders na te staren. Had ik maar iemand in wiens armen ik veilig slapen kon, zonder gepieker over prutske en hoe het straks moest met Stan, iemand die begreep dat dromen kunnen ontaarden in nachtmerries. Wie zei dat op ons trouwen, familie duurt een mensenleven lang. Wel, als het aan mij lag... Het meisje, ja, je eigen kind, dat duurt een mensenleven lang, maar famílie.

Geen idee hoelang ik daar al stond toen een knal mijn dolende denken stopte. Acuut kippenvel en weer die dichte keel, op het raam een ster van stof; bloederige smurrie gleed omlaag, veertjes fladderden door de lucht. Tussen de dahlia's lag een stuiptrekkende merel. Een zanger minder, een zanger deels tot stof vergaan al voor hij dood was. De kattenrug krom zat monster Nel al klaar om de buit te verschalken toen Stans hoofd boven de heg verscheen; het bewoog als gleed het los van zijn lijf over de bladeren. Pas bij het hek schoof het hoofd weer op de romp waar het hoorde. Het hing alleen wat laag tussen de schouders, van vermoeidheid en chagrijn wellicht. Recht van het land bij bomma langs geweest en te horen gekregen hoe goed het zijn Roosje vandaag weer gelukt was zich te misdragen.

Schrapende klompen werden overstemd door het gesnerp van een vogel in doodsnood. De hordeur vloog open, tijd voor het kunstje. Eerst zeilde zijn pet naar binnen, die welgemikt landde op de stoel, dan pas volgde Stan.

'N'avond.'

'Dag,' zei ik, 'je komt als geroepen.'

'Zo?'

Hij keek me aan zonder me te zien en haalde drie luciferdoosjes uit de zakken van zijn overall.

'Mijn vlindervangst van vandaag.'

De dode vlinders negerend zei ik: 'Help even, de weckketel moet van het vuur.'

'Wacht!' Stan dook de kelder in en kwam terug met een tang die ik niet kende. 'Kijk,' zei hij, 'van Florine,' en hij klemde de tang rond de hals van de kokende pot met perziken en zette hem op tafel.

'Brave weckpot,' zei ik, de 'a' iets langer dan nodig rekkend. We lachten zuinigjes. Een voor een tilde hij ze aan de glazen hals de ketel uit en oogde tevreden over de oogst, 'en Roos, let op, de klemmen erop laten tot alles helemaal is afgekoeld.'

'Ik weet het, ik weet het,' zei ik. Hij was vuil, en stonk; het zand van een dag malaise in de bieten was met het zweet zijn haargrens in gezakt.

'Goed gedaan, dat wecken, en zeker in die warmte.'

'Merci. Een boterham?'

'Nee, geen eten, je moet me wassen.'

'Ik, jou wassen?'

Nog nooit gebeurd.

'We gieten het weckwater in de kuip en jij gaat mij wassen.'

'Wablief!?'

'Ja, jij wast mij, dat zeg ik,' Stans stem was hees, mijn maag balde samen; wat nu? Hij sloot raam en gordijnen, draaide de achterdeur op slot. Waar bleef bomma? Verdomme bomma, kom vandaag nog één keer langs. Met alles dicht was het meteen snikheet in de keuken. Stan goot een paar emmers koud water in de kuip en gebaarde me de weckketel mee op te tillen; de spiegel besloeg.

'Is alle hartrot van het land?' vroeg ik, om iets te zeggen.

'Alles is weg, opgeruimd, geen kilo suiker dit jaar, alleen varkensvoer, bompa is versleten.' Even pauzeerde hij, dan: 'Ik nog niet,' met teveel nadruk. Hij stond naakt voor me, met de vuile kleren aan zijn voeten. Ik had niks te zeggen, wou de zeep van het aanrecht pakken toen hij zijn armen om mijn middel sloeg.

'Niet, Stanneman, niet doen, zo vuil.'

Speeksel siepelde langs mijn hals mijn bloes in. Voor mijn ogen vonkte het als bij de draad, ik draaide me om en duwde Stan het stuk zeep in zijn handen.

'Dan word ik sssubiet frisssss, Roosss.' Terwijl hij zich in de kuip liet zakken siste hij als een druppel op een roodgloeiende plattebuiskachel en trok aan mijn rok, 'kom aan, Roosssje, allez, kom aan.' Als een gesel sprong het elastiek terug in mijn taille. Achter mijn ogen brandde woede, maar ik had geleerd vandaag, ik zweeg en trilde. Zo voelde geluk dat allengs rampspoed werd, zo voelde uitzichtloze misère. En toch kwam er een oplossing, verre van makkelijk, maar er was een uitweg. Ik wist het zeker, als ik echt wou, kon ik weg.

Eerst Stan schoonwassen, traag en grondig, vol overgave, liefst. In de slaapkamer haalde ik de lampetkan en een washandje, inhaleerde diep de frisse lucht en stak weer over naar de verduisterde keuken met de man in de badkuip wiens blote knieën me in de schemering als twee volle manen toeschenen. Alleen gebruinde handen, gezicht en nek, meer werd er niet aan het daglicht prijsgegeven. De man paste niet in de kuip, wat bezielde dat veel te grote kind, en op een vrijdag? Tussen zijn benen schepte ik een kan water, hij greep mijn pols. Resoluut rukte ik me los en goot het lauwe water over zijn hoofd.

'Stan, de zeep.'

'Pak de zeep, Roosje.'

Zijn handen bleven onder water.

'Stan!'

'Pak het zeepje, Roos.'

'Dan niet,' zei ik, en deed met een nat washandje zijn hoofd en haren, zijn schouders, terwijl hij doodstil zat en veel te diep zuchtte. Zijn vuist ging open, hij gaf me de zeep.

'Merci.'

Met het zuchten sloeg hij de ogen neer, zo wist ik, en beet hij op zijn onderlip. Zachtjes wreef ik met schuimende zeephanden zijn verbrande nek schoon, nog een plens water. Er hing een zwaarte binnen, door de warmte, door een naderende donderbui. Als een vlieg gevangen in de stroop bewoog ik, en snoof. De geur van zeep maakte de zwaarte lichter. Langzaam bogen Stans hoofd en schouders voorover, hij vroeg om nog een kan; ik bleef spoelen, vetoogjes dansten op het troebele water. Met de handdoek over zijn schouders liet ik hem zitten. Diepe striemen van de kuiprand tekenden zijn rug toen hij zich rechtte, water klotste over de plavuizen; druipend liep hij naar de slaapkamer en riep: 'Kom, *ma rose d'Hollande*, kom, ik ben proper nu, droog mij af!'

Ik reageerde niet, schoof kalm de gordijnen open en wist dat mijn uitzicht voorgoed veranderd was.

25

Stootsgewijs ontsnapten wolkjes uit de paardenbek. Die geur, een geur van ver en vreemd, nestelde zich hoog in mijn neus en tilde me op. Gelukkiger kon een mens zich niet voelen. Achter de drie rijen draad stond een dampend paard, ernaast een ruiter verscholen in zijn cape, de teugels los in handen. In de ochtendzon leek de draad eerder een versiersel dan een sluipmoordenaar. De man aan de overkant wenkte me. Of was het een vrouw? Meteen klaarwakker veerde ik op.

Stan lag naast me, in diepe slaap. Langzaamaan verdwenen paard en ruiter en kwam prutske tot leven. Met het volste vertrouwen in wat komen zou, had ze haar duim gepakt. Smak jij maar, lieve kleine, ik kom er aan, eerst eens flink spoelen onder de pomp. Er moet puin geruimd in je moeders bovenkamer, het mens heeft visioenen.

Ik pompte, koel water liep langs mijn hals en gezicht het putje in, het deed me rillen. Een prettige rilling, het sein van 'het gaat gebeuren', slechts één nacht nog. Pompen, afkoelen, pompen, wild wreef ik door mijn haren toen Stan mijn handen beetpakte en in mijn oor schreeuwde: 'Ik eet een boterham bij ons ma, ben al veel te laat.' Ik stak mijn duim in de lucht en gebaarde van 'ga maar'. Zo voelde ik me, zo, dat ik terecht mijn duimen in de lucht kon steken, allebei tegelijk. Waar werd een mens blijer van dan van stromend water en een goed plan? Van niets; tenminste ik, voor nu. Het water deed me denken aan Emma's brieven met verhalen van overzee. Mooie verhalen over hoe spannend het was om tegen de rotswand achter een omlaag kletterende muur van water te staan. Een muur van water. Sensatie met vleesetende visjes in een rivier; viel je overboord, dan was je lot bezegeld en werd je in rap tempo afgekloven tot op het bot. Emma had slachtoffers met eigen ogen gezien in de kliniek. Dat was andere kost dan bij zomerdag door dazen lek gestoken tot je enkels wegzakken in een modderige kreek. Zouden ze ginder ook zusters willen met een kind? Ik ging steeds sneller pompen tot Stan me weer op de schouders tikte.

'Laat me, Stan, laat me, ga maar, ik heb je gehoord.'

'Deerntje, 'k-bennekik-Stan nie.'

Ik liet de pomp los, zag vanuit mijn ooghoeken een paar vreemde klompen en een vuile broek. Iemand ademde zwaar. Mijn knieën knikten, op de tast zocht ik mijn handdoek. Een hand met zwarte kloven en afgebeten nagels gaf de handdoek gedienstig aan.

'Niet verschieten, deerntje, 'k ben gestuurd.'

Nee, niet nog een visioen! Met de handdoek over mijn hoofd beet ik de man toe dat hij moest aankloppen, dat het lomp was om zomaar mijn keuken binnen te dringen. Vanuit mijn haren druppelde water tussen mijn schouderbladen omlaag. Ik stond oog in oog met een onnozelaar die zo verschrikkelijk loensde, dat ik geen idee had wie of wat hij zag, zijn tong hing half uit zijn mond tot hij zei: 'Maar ik heb geklopt, eerst op uw voordeur en toen hier vanachter, en u hoorde niks, niemendal; uw moeder van hiernaast heeft me gestuurd.'

'Dat is mijn moeder niet!'

Ik deed een stap naar achter om zijn spuug te ontwijken.

'Goed, goed, die oude van Baeckelandt, die zei dat ik hier naar de jonge moest, er zijn daar meer dan genoeg botte messen in huis, zei ze.'

Ah, bomma zond de scharensliep op me af. Meteen nestelde de nijd van gisteren zich opnieuw stevig onder mijn huid. Ik liep naar de keukentafel, trok de lade open en smeet alle messen op tafel.

'Hier,' tierde ik, 'neem het allemaal maar mee, en de volgende keer kloppen.'

'Ik heb geklopt, verdorie, dat zeg ik u net.'

'Salut,' zei ik en duwde hem resoluut naar buiten, schoof de grendel op de achterdeur en opende het dressoir. Met de fles oude klare onder mijn arm, liep ik de slaapkamer in en ging op de rand van ons bed zitten. In de wieg was het stil, in mijn hoofd vochten mijn moeder en de duivel om hun gelijk, en niet voor het eerst. Dit gevecht betrof een flesje Lourdeswater. Het wijwater uit een nagebouwde Franse grot ergens ver in Holland was door tante nonneke op bedevaart meegenomen als trouwcadeau voor Stan en mij. Het had niets geholpen. Toch was het water heiligverklaard en kon je het niet zonder risico in een putje gieten. Dat was, aldus mijn moeder, serieuze heiligschennis. Een heldere uitleg over de mate van heiligheid van water en andere souvenirs, was ze me altijd schuldig gebleven; geloven was geloven, punt. Zodra ik weer thuis was zou ik... Het zweet brak me uit. Enkel het omhulsel was voor mij van belang, het was het enige flesje in huis met een niet lekkende kurk dat precies in de zak van mijn rok paste. Meer dan eens had ik mijn ronde langs kasten en kastjes gedaan om iets anders te vinden dan dit souvenir, tevergeefs. Voorzichtig zou ik het vullen met jenever voor de suikertut die prutske in slaap moest houden; het vluchtrecept van Mathilde hield geen rekening met de noodzakelijke lozing van gezegend water.

Wat nu?

Over de wieg gebogen wreef ik over prutskes rug, ze moest eten en in bad, maar madam was alweer vertrokken. Sabbelend op haar duim blies ze belletjes. In bad, ik kon het wijwater in haar badje doen, voor alle zekerheid; met zo'n moeder kon het schaap wel wat extra voorspraak van daarboven gebruiken.

Rond mijn hoofd gonsde een hommel, ik mepte hem van me af, hij kwam terug, waarop ik het raam opengooide en de tollende zwart-gele bol met een luier naar buiten sloeg. Toen ik het raam sloot knikte mijn moeder me vanaf haar trouwfoto goedkeurend toe; spiegelend licht, puur bedrog, maar toch.

Als mijn vlucht gelukt was, moest ik haar werkelijk in de ogen kijken en alles uitleggen, dat zou verre van makkelijk zijn; ze zou me begrijpen, zij wel. Mijn vaders reactie sloeg ik, net als de hommel, ver van me af. Mathilde ging me helpen, en prutske; ik zou met prutske het pad oplopen, míjn tuinpad omzoomd met míjn bloemen, haar in de armen van mijn ouders leggen en alles zou goed zijn. Morgen niet vergeten hun foto uit het lijstje te halen, nu eerst de jenever.

'Neem een propere zakdoek, doe er twee theelepels suiker in en een stevige knoop, drenk vervolgens de tut in jenever. Dan heel voorzichtig in de mond van de kleine plaatsen, opdat ze zich niet verslikt.' Zo luidde de laatste eis van Mathilde om mij met mijn kind voorbij de dodendraad te helpen.

De la met zakdoeken was goed gevuld, ik zocht de kleinste en de dunste; die fijne witte moest het worden,

opengewerkt en met een kanten biesje, van Florine, ge-
kocht in Gent. Deze ging niet dienen om er de aandacht van de mannen mee te trekken. In de gang bleef
ik voor de spiegel staan om te zien hoe de stof soepel
rond mijn handen viel, het stond chique, zeer chique
en het voelde heerlijk toen de zijde mijn wang streelde.
Op de keukentafel schepte ik twee theelepels suiker in
het hart van de zakdoek, pakte de vier punten, draaide
ze in elkaar en legde er een knoop in. Ermee zwaaiend,
bewezen potdicht, liep ik de slaapkamer in en leegde het
flesje met wijwater in de lampetkan. De fles oude klare
was in onze kuil gerold, ik had er beter af en toe een slok
van genomen. Als mannen daar vrolijk van werden, dan
gold het voor vrouwen ook, maar dat paste een jonge
moeder niet; jenever was geen vrouwendrank, zeiden ze.
'Kortendrank' noemde bomma het, en het was enkel
voor mannen, meer nog voor mannen met een sterk
karakter zoals bompa en de pastoor. Als bewijs noemde
ze dan een gekende trits 'alkoliekers' bij naam.

Bomma verbood Stan jenever te drinken.

Goed mikken, de hals van het flesje was smaller dan
de jenevermond. Zeg, waarom beefde mijn hand? Rustig doorademen, Roosje, en opnieuw proberen; thuis
hadden we een trechter... het meeste liep erin, halfvol
was genoeg. Meteen stonk de slaapkamer als een café na
de hoogmis; ik gooide het raam open en deinsde terug.

'Kunde misschien ook een mandje gebruiken, een
mandje van wilgentenen, ik vlecht die zelf.' De scharensliep stond voor het slaapkamerraam en keek naar
binnen; hoe lang al?

'Vort gij, hier woont niemand die Mozes heet!' Met
grote ogen deed de man een stap terug: 'Ik kenne-kik
gene Mo-zes.'

'Mán, sta me niet te beloeren, ik wil mijn messen terug, anders niets.'

'Komt goed, tis al goed, deerntje.' Zijn hoofd verdween achter de bochel, hij schuifelde het erf af, in beide handen een touw met manden van klein naar groot.

Ik sloot het raam en snoof. 'Gezegend is de vrucht van uw lichaam. Het schoot me spontaan te binnen. Mijn 'vrucht' stoorde zich niet aan jeneverlucht, verre van. Met een luier depte ik de gemorste drank en gaf mijn moeder een knipoog; en úw vrucht, mamma, uw vrucht gaat op de loop, nee nee, ze komt naar huis. 'Gezegend zijt gij boven alle vrouwen,' prevelde ik voor haar foto, 'ik meen het en we gaan elkaar gauw zien.'

Bibberig en opgewekt tegelijk drukte ik de kurk nog eens stevig aan en schoof de Lourdes-oude-klare onder het kapok. Één nacht nog, en een dag.

26

Een schreeuw van ver drong mijn slaapkamer binnen. Met gesloten ogen zag ik de pauw dichterbij komen, zacht ritselend zette hij zijn staart op en boog de fiere vogelkop; ik likte de tranen van mijn hand. Stan kroop uit bed, ging als altijd eerst langs de wieg en klakte een paar keer met zijn tong. Hun spelletje; was prutske wakker, dan zou ze naar hem lachen. Ook een tweede poging mislukte; hij sloop de kamer uit. Veel te vroeg ging Stan op weg naar zijn vlindervrienden in het *Schalthaus*. Vanavond, als hun dienst erop zat, zouden ze gaan kaarten. Opgelucht hoorde ik hoe hij de hond aanlijnde; Bach jankend in zijn ren te moeten achterlaten, daar wou ik niet aan denken.

Het tuinhek klapte dicht, ik kwam in beweging. Op mijn rug in onze kuil, de armen strak langs mijn lijf, zette ik me met de hakken af in het kapok. Van de ene bil op de andere kroop ik met schokjes naar boven tot ik klem zat tegen het hoofdeinde van mijn bed. 'Oefenen, je moet het af en toe eens oefenen,' had Mathilde gezegd, 'en bij iedere beweging goed nadenken hoe je het doet, je zult je zekerder voelen als het zover is.' Opnieuw schuurde ik, als een varken tegen de schutting, met de ogen dicht onder de dodendraad door. Straks, in het echt, kon ik mijn ogen maar beter wijd openhouden.

De dag die me restte viel niemand me lastig, kwam niemand iets halen of brengen, leek het alsof ik er nu al niet meer was. Zou het zó gaan, straks, een lege keuken, het lege bed, op wat dierengeluiden na stilte?

Het had nog steeds niet geregend, de boeren klaagden. Behalve dat palen en draad massaal waren gevorderd, liepen ze ook nog eens duizenden kilo's opbrengst mis. De Pruis, de schroeiende zon; de duivel, die was het!

Eenmaal aan Hollandse kant zou ik een regendans à la Braziliaanse indianen doen, een vertoning ooit secuur en met veel gevoel voor overdrijving beschreven door heeroom, zoals alleen heeroom dat kon; ik lachte, dacht aan Emma en zag in de spiegel mijn hoofd vuurrood worden. Brazilië... Zou ik? Durfde ik? Eén vlucht tegelijk, Roos, één vlucht tegelijk.

Het duurde nog uren voor het donker was. Voor de derde keer controleerde ik mijn stapeltje onder in de kleerkast: prutskes draagdoek, de zakdoek met suiker, oude jenever, de foto van mijn ouders en het dekentje met twee hompen vers brood voor Mathilde. Ernaast lag een flinke stapel brieven in blauw striklint geknoopt. Wat moest ik met de brieven van Emma? Nu beslissen. Stan kon ze beter niet onder ogen krijgen, hij zou er niets van begrijpen. Was ik nukkig of triestig dan was het enige wat hij vroeg: 'Mis jij je mamma, Roosje?'

'Ach ja, een beetje,' was steevast mijn antwoord, waarop Stan onbeholpen de schouders ophaalde, met neergeslagen ogen knikte en er weer voldoende zielenroerselen voor een maand waren blootgelegd.

De brieven van voor de dodendraad waren Emma's reactie op wat me echt beroerde. Emma had verstand van ons binnenste: 'In je diepste binnenste valt meer te halen dan menig mens vermoedt.' Het leek alsof ze ginder wijsheden opdeed zoals een hond hier vlooien.

Van Vlaamse kant viel, behalve een bemoedigende kneep onder water van bomma, weinig hulp te verwachten. Hoe vaak had ik de brieven herlezen? Als mijn lastige leven me teveel werd, zocht ik mijn stronk onder de notenboom op en las Emma; ik kende haar boodschap vanbuiten, er de brand insteken durfde ik niet, begraven leek me nog het beste. De laatste, alleen haar laatste brief zou ik meenemen. Vlak naast wat ooit mijn vijver was, moest Moeder Aarde ze verzwelgen. Een varen eruit, de brieven erin, de plant er weer bovenop; de inkt zou uitvloeien en onleesbaar worden. Voorlopig stak niemand daar een schop in de grond.

Vanachter het gaas trippelden nieuwsgierige kippen met me mee, de haan kraaide, zijn felrode lellen trilden dat het een aard had; acuut kwam er antwoord van bompa's erf, het mannengevogelte aan de roddel. Al spittend kreeg ik de zenuwen van de kwaadsappige haan en mikte een kiezel de ren in. Na wat wild gefladder en getok werd het stil. Om de wortels van de varen te ontzien, liet ik er een flinke kluit aanzitten. Ai, ik stak een panikerende wurm doormidden; dat de voorste helft dan gewoon doorleefde, had me altijd verbaasd. Ook nu volgde ik het grijsroze kronkelding dat zich meteen weer ingroef, zijn ongelukkige helft zonder compassie onder een hoopje papier achterlatend; welgemikt plofte de varen er bovenop. De neus van mijn klomp bezegelde het lot van Emma's wijsheden, rap zette ik de spa terug op zijn vaste plek; haan en kippen vluchtten het nachthok in.

'Snavels dicht!' snauwde ik en rende naar het gemak, want vluchten was slecht voor mijn darmen. Door het hartje naar buiten turend, zag ik de afstand tot de deur steeds groter worden, ik werd licht, had koppijn; boven me ritselden veldmuizen. Misschien had ik Emma's brieven toch in de kast moeten achterlaten, voor Stan. Weer opgraven? Nee. Naast me kwamen de wit gepleisterde muren in beweging, de kalklaag bladderde en krulde als bij een vuile huidziekte. Zachtjes wreef ik over de plek waar mijn maag moest zitten. Eruit, ik moest hier weg, naar buiten. Kwamen er voetstappen mijn kant op? Sintels knersten onder klompen, ik hield me stil. De klompen verdwenen, het tuinhekje klapte dicht. Zonder op of om te kijken rende ik het erf over, recht naar binnen.

De krekels zongen, eindelijk kon ik weg. Meezingen wou niet lukken. Bij de laatste voeding had prutske af en toe één oog geopend als signaal dat mijn hartenklop wel wat kalmer mocht. Maar mijn hart trok zich van mijn hoofd niks aan en leed zijn eigenwijze leven; ik dronk een beker water en besloot voorlopig alle gevoel te negeren. Zo opende ik de kast en pakte mijn reisuitrusting, liet jenever, Emma's brief en de foto in de zak van mijn rok glijden en trok de suikertut door een knoopsgat van mijn vest. Het dekentje met het brood zou ik in mijn handen houden, zoals altijd als ik op pad ging naar Mathilde. De draagdoek zat in een keer goed, onderin ging de extra luier en daarop een content slapend meisje.

'Kom kind, we gaan,' fluisterde ik en trillend trok ik de deur achter me dicht, rukte in het voorbijgaan wat bladeren van de notelaar -salut, mijn trouwe reus- en vouwde die dubbel in prutskes draagdoek. Muggen en Pruisen dienden op afstand te blijven. In de schemering leek de dreef langer dan ooit, behalve de krekels geen levende ziel te bekennen tot naderend gedruis het getjirp overstemde. Omkijken durfde ik niet. Geschrokken van de schapen die langstrokken sloeg ik mijn armen om prutske, vettige wol kriebelde langs mijn benen. Ternauwernood kon ik de neiging onderdrukken de beesten van me af te schoppen. Met een warrig knikje groette ik hun herder. Die zwaaide met zijn wandelstok, maar zei niets; een schurftige hond bewaakte de flanken en negeerde al wat mens was. Stof sneed mijn adem af, ik draaide me om en bedekte met een hand prutskes gezicht. Onze hoeve lag er vanuit de verte vredig bij. Tussen mijn tanden kraakte zand, in mijn hoofd echode een stemmetje dat ik vergeten was de planten water te geven. Terugdraaiend zag ik hoe in de bocht de kudde onder het loof richting dorp verdween en Mathildes wei links liet liggen, ik nam jeuk en stof voor lief en versnelde mijn pas.

Tegen een donker wordende hemel stond ze op de uitkijk, een schim omlijnd door een laatste randje avondrood. Nu de dauw viel, rook het lekker hooiig. Terwijl ik niet eens het smalste deel van de sloot had genomen, landde ik met één krachtige sprong in de wei; als volleerd springer nam ik afscheid van Vlaamse bodem. Over Mathildes schouder hing de wollen deken, naast haar stond het porseleinen tafeltje met de vier gouden rozen waarvan de stelen vanzelf veranderden in gekrulde tafelpoten. Het zag er zot uit, de verwilderde vrouw in het hoge gras met die kitsch aan haar voeten; een wijsvinger voor haar getuite lippen gebaarde me stil te zijn.

'Kom eventjes hier zitten en rust.' Ze was amper te verstaan. 'Was er niemand ginder?' Ik schudde van nee.

'Alleen de schaper, maar die is afgeslagen,' fluisterde ik en gaf haar het brood. Gulzig kauwde ze een homp weg en gaf mij een appel. De knak van mijn tanden in de schil maakte prutske wakker, druppels sap spatten op haar neus. Ik wenkte Mathilde: 'Kijk eens hoe lief.' Ze keek en in haar voorhoofd verscheen de rimpel voor serieuze zaken.

'Waar is haar tut?'

'Hieronder,' wees ik op mijn knoopsgat.

'Jenever?'

Ik graaide in de plooien van mijn rok en gaf haar het flesje.

'Verdomme toch, helemaal uit Lourdes,' zei ze zachtjes en keek met glinsterende ogen langs me heen de polder in; drank en een Mariabeeld, het kon niet anders of ze was in gedachten terug in haar café, bij Raf, 'een flinke slok zou me smaken nu, maar beter wachten.' Ze pakte de tut en veegde met de knoop van de zakdoek haar ogen droog. Het geluid van een verre vogel liet ons schrikken; Mathilde herstelde zich subiet, maar ik bleef, turend in het donker, glimmende knopen zien op schimmen die van alle kanten naderden.

'Geen paniek kind, komaan.' Voorzichtig besprenkelde ze de tut rondom met jenever, gaf prutske haar vuile wijsvinger om op te zuigen en wachtte geduldig tot de kleine het ritme te pakken had. Toen trok ze haar vinger langzaam terug en duwde op hetzelfde moment met haar duim de jenevertut zachtjes in de mond van het meisje.

'Als lammetjes slecht drinken, is dit de manier om ze de fles te geven,' zei ze, terwijl ze de kurk stevig in het hoofd van de Heilige Maagd drukte. Ze gebaarde me overeind te komen. Met zware benen stond ik op en zag hoe het meisje de kuiltjes in haar wangen zoog. Mathilde duwde me twee uiteinden van de deken in handen en deed een paar stappen naar achter: 'Strak trekken, we vouwen hem zo klein mogelijk en knopen er een touw omheen.' Geleerd van Raf, die bond ook overal touwtjes omheen, Rafs wereld hing van vlastouw aan elkaar; 'zeker is zeker', ik hoor het hem nog zeggen.

'We pakken de tafel ieder aan een kant, lopen tien passen en nemen dan een momentje rust.' Massief porselein woog zwaar. Ritselend door het hoge gras gingen we in het donker op pad, ieder voor zich binnensmonds tellend tot tien. Bij 'tien' zetten we de tafel neer en schudden onze armen los. Rustig aan, gejaag diende geen enkel doel. Mathildes haren hingen nu al in slierten langs haar hoofd alsof ze recht uit een stortbui kwam. Prutske knorde tevreden.

'Een, twee, drie, vier... zeg eens, Róó-zaaa mijn kind, wij zouden in het leger niet misstaan,' gniffelde ze.

Stel je voor, wij onder de knoet van een commandant. Ik salueerde, vandaag was Mathilde mijn commandant.

'Ken jij Louis nog?' vroeg ik.

Ze wreef de natte haren uit haar gezicht en knikte:

'Zeker, wanneer gingen ze terug naar België, een jaar of drie geleden? Jij en Louis waren verboden vrienden.'

'Hij ligt vast aan het front,' zei ik.

Zwijgend pakten we de tafel weer op en marcheerden verder bij net genoeg maanlicht om aan de horizon de contouren van het bos te zien; honderden meters de andere kant op scheen het vage schijnsel van de eerste lichtbak bij Stans *Schalthaus*.

'...acht, negen, tien.' Mathilde ging op een hoek van het tafeltje zitten, ik ook en prompt lag ik languit in het gras met een gebroken tafelpoot onder me. Wild graaide ik in mijn draagdoek, prutske kreunde, alles zat nog op zijn plek.

'Maar nee, ver-dom-me-toch!' De rest van haar vloek slikte ze in en knielde naast me; ik huilde, grote snikken in mijn handpalmen smorend durfde ik haar amper aan te kijken.

'Roosje, allez kom, is mij dat verschieten.' Dan goeiig: 'Zucht eens diep, toe maar.' Over me heen gebogen streelde ze mijn rug, het liefst was ik onder de warme handen van Mathilde in het gras blijven liggen, maar ik krabbelde overeind en zei: 'Ik heb uw mooiste, ik heb uw dierbaarste tafel vernield. Zie, ik deug nergens voor, voor niks niemendal.'

'Tuttut! Die gebroken poot komt ons vast nog van pas, doorlopen.' Zij pakte de porseleinen poot, ik de deken en opnieuw telden we tot tien.

Zodra we één voet in het bos zetten, stoven de konijnen alle kanten op; huilend scheerde een bosuil langs mijn gezicht en klapwiekte me koelte toe. Ik struikelde, kon me nog net staande houden.

'Pas op!' Met de porseleinen poot wees ze naar een holle boomstam vlak voor ons. Op een bed van bladeren lag een zogende egel, een nestje van een stuk of vier-vijf, de beestjes waren amper van boomblad te onderscheiden, maar zij zag ze; Mathilde had kattenogen, kwestie van wennen aan een leven in het wild.

'Kijk uit waar je trapt,' zei ze kortaf, 'één breuk is genoeg.' Nu was ook in haar stem de spanning hoorbaar. We zetten de tafel tegen een boom en keken elkaar aan.

'Ik heb, echt waar, heel veel geoefend,' zei ik met een dun stemmetje. Behalve het gebonk van mijn slapen hoorde ik niets.

'Schuin achter elkaar nu, ik ga voor.'

Wie durfde haar tegenspreken? Oorverdovend knapten de takken onder mijn klompen, het pad was slecht, met veel putten, bij iedere voetstap veerde een dikke bladerenlaag mee. Een halve maan danste door de kruinen van de bomen en de dodendraad zong; we waren vlakbij. Mathilde stopte, hief even het hoofd en zei: 'We gaan het allemaal stap voor stap nog eens...' Toen gebaarde ze van 'sssst' en trok me met tafel en al de struiken in, 'bukken, búkken, passeurs met de post.' Niemand kon ons zien, het werd stilzitten en wachten. Het nieuws over de barrière van slechts twéé draden zong ongetwijfeld net zo hard rond als de draad zelf; het kon hier vannacht nog druk worden. Even verlichtte de maan het groepje gebochelde schimmen dat zwijgend passeerde. Die lange, met die pet... die lánge! Het kon zijn dat mijn hart prutske wakker bonkte, Mathilde echter knipoogde geruststellend; daarna volgden doffe dreunen elkaar snel op.

'De postduif is geland,' fluisterde ze.

Ik hoorde de mannen weer langskomen, durfde niet op te kijken tot een paar 'miljaars' weerklonken, gevolgd door gesis.

'Nondedju mieren, een mierenhoop, ze steken!' riep er een woest. Jammerend sprong hij mijn kant op om pal naast onze struik zijn broekspijpen uit te kloppen; ik hield mijn adem in en schoof dichter naar Mathilde, er scheurde iets, ik maakte geluid, ging ons verraden; resoluut legde Mathilde haar hand op mijn mond. Doodstil zat ik, maar iets bleef aan mij trekken; ah, mijn rok hing aan de doornen. Vloekend gooide het mierenslachtoffer zijn klompen uit en sloeg ermee tegen een boom.

'Zeg schele, houd ne keer uw bakkes en kieper er thuis azijn over.' Die stem, die stem was zeker te weten van boer Schellekens. Mathilde drukte haar hand vaster aan.

'En nu lopen of het is de laatste keer,' Schellekens, dwingend.

Grote god, die pet! De mannen dropen af. Pas toen het weer stil was liet Mathilde mijn mond los, door het maantje beschenen keek ze tot in mijn ziel en zei, toen ik bleef zwijgen: 'Roos, niet denken, doen. We nemen ons plan nog eens stap voor stap door.'

Om bij de dodendraad te komen maakte Mathilde de onderste twee rijen prikkeldraad, die ze op voorhand had doorgeknipt en 'gerepareerd', weer los.

'Dekentje,' commandeerde ze. Trillend reikte ik haar het dekentje aan, wat ze trefzeker over de onderste van de elektrische draden mikte en er met de porseleinen poot nog eens extra omheen sloeg. Daarna veegde ze met de tafelpoot de bladeren uit de kuil; met ogen als schoteltjes zag ik onze kruipruimte ontstaan.

'Je krijgt een standbeeld!'

'Roep niet te vroeg.' Met haar jurk aan haar vermagerde achterste geplakt, kroop ze terug. Ik trok het touw rond de grote deken los en met de wollen lap tussen ons in schuifelden we kronkelend als Emma's pythons weer naar de draad, Mathilde op haar buik, ik op mijn rug. Toen ik me op mijn zij draaide sputterde prutske, maar sliep door. Onze armen tot het uiterste gestrekt lukte het om met de poot de deken in de kuil te spreiden.

'Rusten? Ik bibber.' Mathilde knikte. Bij het terugkruipen sneden de randen van mijn klompen gemeen in mijn hielen; nooit geoefend, dat terugkruipen, het deed zeer. Zittend schikte ik mijn draagdoek strakker.

Met de tafel op de kop voor ons uit, schoven we opnieuw onder het prikkeldraad door. Stoppen, uithijgen, een…, twee…, ja! We manoeuvreerden de tafel de kuil in en een…, twee…, ja! Mathilde trok het meubel in één keer rechtop, draad en dekentje stonden strak.

'God allemachtig, het gaat ons lukken,' zei ze, 'blijven liggen nu, afwachten of het houdt.'

Kriebels, ik moest niezen. Met twee vingers in de neus slikte ik een paar keer, het zakte. Mathilde aaide mijn voorhoofd, mijn wang, haar hand voelde ruw, net als de handen van Stan; tegen me aangekropen streelde ze de draagdoek, haar hand bleef op ons rusten tot ze zei: 'Jullie gaan eerst.' Ze gaf me de ruimte en stukje bij beetje schoof ik ruggelings, de ogen wijd en de armen strak langzij, over de wollen deken de kuil in. De bolling op mijn buik schommelde zachtjes mee. Mijn hoofd, mijn lijf, mijn gedachten, alles vocht om voorrang en sneedt mijn adem af; bevend als een riet schuifelde ik onder de tafelpoten door en stopte pas op veilige afstand van de draad. Ik rechtte me om te zien of Mathilde al volgde. Ze kwam niet, ze stond nog aan de overkant, kaarsrecht met de porseleinen poot als een trofee boven haar hoofd.

'Kom, kóm dan toch,' wenkte ik, mijn stem begaf het. Langzaam schudde ze van nee en gebaarde me te gaan, haar arm zei: lopen! Pal naast haar stond een ruiter te paard die zijn cape herschikte.

27

De halve maan weerspiegelde in de pikzwarte kreek, er stond geen zuchtje wind om mijn hoofd te koelen. Prutske vertoonde tekenen van leven en ik liep verloren. Waar stonden hier de varens? Warrig ging ik op zoek naar de rand van het bos.

Waarom had Mathilde op het laatste moment geweigerd mee te gaan? Wou ze geen afscheid nemen van het laatste wat ze had of wou ze zelfs niet vluchten? Meed ze de Hollandse tak? Des te specialer alle risico's die ze had genomen met prutske en met mij.

Als een ploeg achter een gewillig paard werd ik het water ingetrokken. Viel het mee met de muggen dan kon ik afkoelen in de kreek en prutske voeden, en bedenken hoe ik zonder chaperonne verder moest. Ver weg klonk gerommel, een onweer, of geschut. Aan het front maakten ze geen onderscheid tussen dag en nacht; aan de oever was het vredig en zwoel. Op blote voeten liep ik de kreek in, het maantje rimpelde, aan de overkant klotste het water in het riet en alarmeerde de vissen; ik huiverde, meer van opwinding dan van de kou.

Laatst, toen ik razend werd op bompa omdat hij mijn vijver volstortte met de vissen er nog in, bitste de ouwe: 'Awel, Roo-za, wilde gij zaniken over uw vijverke, aan de Hollandse kant zijn er kreken genoeg.'

Wel bompa, ik sta er middenin jong, wat nu?

Vanaf de kant hopte een kikker de plomp in, rimpels glinsterden, een eend wiegelde voort met de kop in de veren. Ik waadde terug naar de oever, trok zachtjes de jenevertut uit prutskes mond en legde haar meteen aan. De tinteling deed me duizelen; nee o nee, Roos, jij gaat niet janken. Melk of jenever, het leek de kleine niet te deren wat je haar voorzette, gulzig zoog ze zich aan mij vast. Dit beeld zou mijn ouders vergevingsgezind stemmen, dit, en mijn diepe overtuiging geen leven lang door te kunnen met Stan in de coterie van de Baeckelandts waarin pastoors, halve heiligen, meelopers en gewone mensen zich niet echt om elkaar bekommerden, maar wel bepaalden wie je was en waarom. Je hoorde erbij, of niet, iets er tussenin bestond niet.

Maar wees voorbereid op verwijten, Roos, wees heel goed voorbereid; met dat liedje in mijn hoofd gingen we op weg naar huis. Want daar moesten we heen: naar huis.

Als een slak zo traag kroop de maan in het opkomende ochtendlicht. Welke vogel floot zo'n prachtig welkom? Muziek, ik was op weg naar de muziek langs een vertrouwd, maar door het rulle zand haast onbegaanbaar pad; terwijl ik mezelf moed insprak en vond dat ik mijn doel bijna had bereikt, zakte ik er tot over mijn enkels in weg.

'Jouw mamma zeult en passant de halve aardbol mee.' De kleine reageerde niet. Ik gooide mijn klompen uit, goot ze leeg en liep op blote voeten verder. Het koele zand was een zegen voor mijn verhitte voetzolen. Mathilde, lieve Mathilde, waar ben je? Niets begreep ik ervan. Ik ging meteen Emma schrijven, in een lange brief mijn toestand uit de doeken doen. Al snel zou ze mij naar Brazilië lokken: 'Alle hulp is welkom en kinderen ook.' Maar Stan, de gedachte aan Stan en zijn prutske vulde mijn knieën met watten. Terwijl ik in een flits bedacht dat bij mijn ouders brieven van Emma konden liggen, smakte ik languit tegen de vlakte. Doodse stilte en de geur van gras, dan gesmoord gekrijs onder me. Op mijn knieën trok ik prutske uit de draag-doek, kuste sussend haar oortje, haar neusje, haar buik, maar madam was ontroostbaar, grote uithalen galmden door de polder. Bij het opstaan haakte mijn voet weer in de kapotte rok, de strook scheurde verder; prutske moest aan de kant. Met haar blote beentjes in het gras kalmeerde ze en kon ik de ravage overzien. Vluchteling, in het bezit van één kapotte rok, bezweet hemd en nog zowat, plus kind, zoekt tijdelijk onderdak; dat werd een fraai onthaal, straks. Soit, ik was niet op weg naar een communiefeest of kermis en waar ik vandaan kwam was het oorlog. Daar woedde een grote oorlog.

Alsof ze nooit een doodsmak had gemaakt, lag het meisje te trappelen in het hoge gras; ik beefde nog na. Om niet weer te struikelen trok ik de kapotte strook van mijn rok en vouwde die in de draagdoek. Meteen dook mijn moeders ratelende naaimachine op, én een engelenjurk. En een wee gevoel in mijn maag; eten, ik moest iets eten. Duizelig van de honger pakte ik de kleine weer in en ging op weg. Een opkomend briesje ruiste door de toppen van de populieren, een geluid dat me altijd raakte. Met Emma had ik het er weleens over gehad, hoe dat zat met geuren en met geluiden en wat die zoal deden, met je gemoed.

'Dat heeft allemaal met je ziel van doen,' riep ze dan, 'met je binnenste binnenkant, je moet er goed naar luis-teren.' Zou Emma onze bomen missen? Paardenbloempluisjes dansten met me mee op weg naar de grote bekentenis, want daar zou mijn thuiskomst op uitdraaien.

'Heb ik de ellende niet voorspeld?!' hoorde ik mijn vader luidkeels zijn gelijk halen.

'Wel pa,' zou ik antwoorden, 'uw voorspelling klopt, maar de ellende is van korte duur, want binnenkort vertrek ik naar Zuid-Amerika.'

Mijn moeder zou huilen, mijn vader tieren en daarna zou ik verder zien. Ik twijfelde er niet aan of iemand ging mij, of beter, ons op weg helpen; je kreeg het leven niet om te zitten wachten tot het voorbij was, volgens Emma.

Rose, had ze plechtig gezegd, *Rose, if nothing ever changed, there should be no butterflies.*

Ze liet het me wel tien keer herhalen. *Butterflies, Schmetterlinge,* vlinders, mijn gedachten fladderden in het rond, terwijl ik neuriënd doorstapte met in mijn linkerhand mijn klompen, mijn rechter gleed door het lange gras, vochtig van de dauw. Het kon nu niet lang meer duren of onze boomgaard kwam in zicht. Opnieuw was daar de deun: 'Wees voorbereid op verwijten, Roosje…'

'Halt!'

Ineens stonden ze voor me, vanuit het niets, midden op het pad, twee soldaten met hun wapen losjes aan de schouder bungelend. Als vanzelf stak ik één hand omhoog en wees met de andere op prutske, waarop een man op ons afkwam en nieuwsgierig de draagdoek openvouwde; de ander bleef waar hij was.

'Aha, díe hebben wij daarnet horen zingen,' zei hij met gedempte stem, 'en u bent onderweg waarheen, mevrouw?' Praatte hij zo zacht vanwege prutske? Het was lang geleden dat iemand hoog Nederlands tegen me sprak. Zijn vriendelijkheid stelde me gerust, maar het verbaasde me dat echte Hollands hier te horen.

'Dit is toch geen tijd of pad voor moeder en kind,' zei hij. Klonk wel deftig, dat Hollands, dat was ik niet meer gewend. De ander stond nog steeds onbeweeglijk met gespreide benen midden in de dreef.

'Ik ben er bijna,' zei ik.

'Waar bent u bijna, mevrouw?'

'T-t-thuis.'

'En waar mag 'thuis' dan wel zijn?'

'Nou-de-eerste-de-boer-derij- ginder rechts,' snikte ik, hard in de hengsels van mijn klompen knijpend; ik bedwong mijn tranen maar deels. 'Dat wil zeggen, meneer, daar wonen mijn ouders.' Dit klonk wat vaster.

'Wel, daar wonen wij ook,' was het antwoord.

Dat kon niet, mijn ouders zouden nooit verhuizen, ze wilden zelfs in hun eigen boomgaard begraven worden, meer speciaal nog onder die ene kweepeerboom.

'Meneer, u moet mij niet voor de gek houden, ik heb het al moeilijk genoeg.'

'Dan zal ik het u gemakkelijk maken en u naar huis brengen.' Zijn hand omklemde mijn elleboog: 'Geef mij die klompen maar.'

Hij geloofde me niet, die kerel geloofde niet wat ik zei, maar zijn greep duldde geen tegenspraak dus liet ik me leiden. Zijn ogen rustten op prutske: 'Jongen of meisje?'

'Een meisje.'

'Ik heb ook een dochter gekregen,' zei hij, 'ze heet Grietje, ik heb haar nog niet gezien.' Met gekromde wijsvinger aaide hij prutskes wang en zei: 'Ik mis thuis verschrikkelijk, mevrouw, we zijn hier ingekwartierd.'

'Ingekwartierd?' Daar had ik weleens van gehoord, maar heel precies wist ik het niet.

'Ja, we zitten bij uw ouders op de dorsvloer en in huis, mits we het over dezelfde boerderij hebben natuurlijk. Wel met een man of twintig.'

'Maar waarom?'

'Geruchten, aanhoudende geruchten over een invasie van de Duitsers via Zeeland.'

Vanonder zijn pet bespiedden zijn ogen de mijne: 'En hoe komt ú hier zo binnenvallen, deze nacht?'

'Gevlucht, vanuit België.'

'Dat kan niet.'

'Jawel, meneer, onder de draad door.'

Met open mond kwam de ander dichterbij en riep: 'Onder de dodendraad, met dat kleintje?'

Ik knikte.

'Zo gevaarlijk,' zei hij verwijtend streng; deze heren kenden Mathilde niet. Ik beet op mijn onderlip.

'Kom,' zeiden ze allebei tegelijk, en alsof het niet om mij ging, zag ik een vrouw met kind tussen twee soldaten de dreef uitlopen.

Het beeld van onze schuur klopte niet met mijn herinnering. Geen karren met hooi, geen bieten. Op iedere hoek stond een wachtpost en de grote schuurdeuren, 's zomers altijd wagenwijd open, waren dicht. De mannen brachten me naar binnen, herrie en stank kwamen me in de bijkeuken tegemoet. Er viel een stilte; vanachter volle borden karnemelksepap gaapte een troep kerels in hun ondergoed me aan. Midden op tafel stond de groene bus met witte letters 'suiker'. Bij één bleef een klodder pap aan zijn kin hangen die hij met de rug van zijn hand afwreef en oplikte; van mijn ouders geen spoor. Ik slaakte een zucht, keek van de pap-eters naar mijn begeleiders en omarmde prutske stevig.

'Ze zijn vast nog bij je opa,' zei de vriendelijke.

'Bij mijn opa?'

'Daar slapen ze meestal, als het hier vol is.' Hij keek naar de grond.

'Merci, dan vind ik het verder wel,' zei ik en beende het erf af naar mijn opa's huis. Daar was het stil, de gordijnen waren nog dicht, enkel het zijraam stond op een kiertje. Behoedzaam duwde ik het open en deed het gordijn opzij. In de hoek van de kamer lagen mijn ouders op de grond te slapen, opa in het bed er tegenover. Ze waren er, ze ademden, ze leefden! Het was onbezonnen om het meisje nu bij mijn ouders in bed te leggen en bovendien werd mijn vader niet graag zomaar uit zijn slaap gehaald. Nee, beter niemand wekken nu, stil naar binnengaan, opa's achterdeur was altijd los. Voorzichtig drukte ik de klink omlaag, 'klik', de deur zat op slot. Logisch, met al dat vreemd volk in de polder. Wachten, geduld hebben, het went; ik pompte wat water over mijn polsen, ging op de rand van de put zitten en keek rond. Op het grasveld stond nog steeds de driehoekige ren met Vlaamse reuzen in Hollandse gevangenschap, tegen de muur een rij zinken emmers en de tuinbank; de krielkippen, hondsbrutaal en al wakker, keurden het hout van mijn klompen. Hier was niets veranderd. Behalve de muurankers, 1835 roestte, maar misschien was dat al eerder en zag ik nu pas dat de regen vier sporen had getrokken, drie smalle en een brede, cijfer acht lag dwars. Prutske roerde zich en stonk.

'Hola, pruts, zo kunnen we jou hier niet presenteren.'

Op de tuinbank deed ik haar luiers uit, pompte water en hing haar tot haar middel in de emmer. Met schokjes haalde ze adem, spartelde, lachte. Wanneer lachte dit kind níet? Ik liet haar zakken tot ze met gekruiste beentjes rechtop klem zat in de emmer, met grote, nieuwsgierige ogen keek ze rond. Toen vloog de achterdeur open en stond ik oog in oog met mijn vader, die een stap achteruit deed.

'Mamma, mamma kom!' gilde hij.

Van plezier petste het meisje met haar handjes op het water. Mijn vader hurkte voor de emmer. In haar onderjurk, de lange haren los en op blote voeten verscheen mijn moeder, ze bleef staan en met haar tenen over de drempel gekromd sloeg ze de handen voor haar mond en zocht lijkbleek steun tegen de deurpost. Mijn vader zat intussen op zijn knieën voor de emmer met prutske, de kleine graaide naar zijn neus. Met een gezicht dat ik niet van hem kende, hees hij prutske uit de emmer en gaf het druipende meisje hakkelend aan mijn moeder: 'M-Mamma, kijk nou, k-kijk eens wat ik hier gevangen heb.'

Vanaf de rand van de waterput bekeek ik het tafereel en zag twee mensen heel anders dan ik ze had achtergelaten. Mijn moeder kwam op me af, met de spartelende kleine tussen ons in omhelsde ik haar.

'Geef maar hier,' zei mijn vader resoluut, en hij pakte het meisje uit mijn moeders handen.

'Zo deed hij ook met jou,' fluisterde ze, 'tot je hem ging tegenspreken.'

We lachten. Pas nu leek ze te beseffen dat het niet gewoon was, dat ik in haar armen lag.

'Hoe kom jij hier?'

'Hoe kóm ik hier?'

'Ja, ik bedoel, de dodendraad, je kind, Stan, onmogelijk,' mijn moeder weer.

'Mathilde.'

'Tilleke? Maar nee!' Haar wangen kregen kleur. 'Waar is ze?'

'Het ging ginder niet goed met mij, mamma; Stan heeft de bijl in mijn hommel gezet, hij hield mijn paspoort achter…'

Ongeloof op beide gezichten.

'Ik ga niet terug.'

Ontzetting.

'En nu?'

Ik haalde mijn schouders op.

'Later,' zei ik, 'later meer, ook over Mathilde, eerst opa.'

Mijn moeder opende haar mond, maar bedacht zich. Met prutske op de arm liep ik achter haar aan de slaapkamer in.

'Blijf kalm, opa is opa niet meer.'

Je kon er leunen tegen de lauwte en de oude-mensen-geur, een vreselijke geur die ik al lang niet meer had geroken.

'Voor de veiligheid slapen we op zijn kamer, hij is soms op de dool.'

Alsof ze mijn gedachten lezen kon, gooide mijn moeder het raam wijd open; kreunend draaide opa zich met zijn rug naar het licht en trok de deken over zijn gezicht. Dat was niet veranderd, hij had nog steeds een gloeiende hekel aan opstaan. Op verjaardagen vertelde mijn oma over haar 'Reus Matineus' en kreeg moeiteloos een volle huiskamer aan het lachen. En opa, mijn opa zat erbij en vond het allemaal best.

Temidden van vier ronde afdrukken in het zeil stond nu een eenpersoons bed met aan de ene kant een gemakkelijke zetel, aan de andere kant een bidstoel, eronder een wit-emaillen ondersteek met deksel en zijn klompen, met een laagje stro; nooit wou hij iets anders aan zijn voeten, nog steeds niet. Op het nachtkastje stond een grote foto van oma Rosalie. Zo'n groot portret van haar had ik nooit eerder gezien. Ik pakte de trouwfoto van mijn ouders en de laatste brief van Emma uit mijn rok en zette die naast het gezicht van oma.

'Maar kind toch,' zei mijn moeder en keek naar de vloer alsof ze iets zocht.

Op de rieten zitting van het bidstoeltje stond een beeld van de heilige Jacobus, patroonheilige van het dorp en beschermer van de pelgrims. Vroeger resideerde de prelaat op de schouw onder een glimmend glazen stolp, maar die was onder de vlijtige vingers van oma gesneuveld. Jaar in, jaar uit maakte opa plannen om op bedevaart te gaan, 'te paard naar ginderachter, naar het einde van de wereld dat het einde van de wereld niet was, leerrijk als het ging om zijn binnenste en prachtig van natuur,' sprak de dolende ridder die nooit verder kwam dan de Schelde. Iedere zondag na de Hoogmis kamde opa de boekenkasten van de nonnen uit op pel-grimsverhalen, las ze, met naast zich op de tafel zijn vooral-niet-te-vergeten-schriftje, maar hij ging nooit; de oogst, een extra knecht, de beesten en vooral oma weerhielden hem ervan om lang in zijn eentje op pad te gaan. Emma's vertrek naar Brazilië had hij zo trots als een pauw rondgebazuind en nu droomde hij nog steeds, oog in oog met Sint Jacob, zijn eigen, verre dromen.

Voorzichtig tilde ik de deken op om zijn gezicht te zien; een zacht gezicht, een goedaardig gezicht, het was er gelukkig nog, het was niet vertrokken van angst of van chagrijn, zoals je dat vaak bij kindse grijsaards ziet. Ik aaide zijn wang.

'Dag opa, ik ben het, Roos.'

Zijn tandeloze mond ging open, hij mompelde iets onverstaanbaars; mijn moeder knikte.

'Kijk eens pa, kijk eens wie hier is.'

Met een hand reikte hij naar het meisje dat naast hem op zijn kussen lag, een bleke hand, zo krom als zijn hooivork; traag pakte de oude hand in één greep beide voetjes. Prutske reageerde nauwelijks; vanonder zijn dikke, grijze wenkbrauwen gluurde opa naar me en fluisterde: 'Lieke, tismijn-Rosaliek-uh-weertrug.'

'Hij denkt dat je oma bent,' zei mijn moeder, 'en ik lig nu naast hem op zijn kussen…'

'Zo laten?' vroeg ik.

'Voor ieders rust, ja, zo laten.'

Opa's hoofd zakte tegen dat van het meisje; beiden sliepen.

Intussen was mijn vader naar ons eigen huis gegaan en had daar het kinderbedje van de zolder gehaald. De vriendelijke hielp hem sjouwen en maakte met een zwijgend knikje in mijn richting rechtsomkeer. Uit alle macht klopte mijn vader de strozak tegen de muur en niesde vol overgave. Slapende prutske legde ik in mijn oude bed. Nog steeds in haar onderjurk bracht moeder me een beker warme melk die ik vanonder de vette vellen opslobberde; ik had honger en ik had slaap, maar slapen kon altijd nog, eerst het achterstallige nieuws. En het belangrijkste: 'Emma heeft haar brieven voor mij vast en zeker naar hier gestuurd.'

Mijn ouders zwegen.

'Waar liggen ze?'

Ze kwamen naast me zitten, ik keek van de een naar de ander, het bleef stil, des te luider zongen de vogels.

'Nou?' zei ik zacht, beducht door de vreemde sfeer die plots alle blijdschap verjoeg. Vanuit een diepe zucht zei mijn moeder tenslotte: 'Kind, het is om zot van te worden, Emma is al meer dan een jaar zoek in de bergen van Brazilië, alleen haar paard en een cape zijn gevonden. De cape is bij haar ouders thuisbezorgd.'

De pomp werd wazig en draaide rond, mijn handen zochten steun op een knie rechts en een knie links van me, de merels gingen als bezeten tekeer, ik voelde een schreeuw opkomen, maar die kon er niet uit. Ik trok mijn handen terug en kneep in mijn vingers, schuurde met mijn voetzolen over de stoep, er was geen ontkennen aan, ik was wakker, prutske huilde en ik kwam niet overeind omdat iets me steeds vaster op de tuinbank drukte.

'En jij bent er ook zo een,' klonk het ver weg, 'zo een die altijd de risico's zoekt, een van onverantwoord gedrag, ellende gegarandeerd en als ouders, als ouders hebben we maar te zwijgen en te wachten tot we geroepen worden om te redden wat er te redden valt.'

Dit klonk ineens van heel dichtbij.

Mijn moeder?

Mijn vader stond op en ging naar binnen, ik liep achter hem aan, recht naar de slaapkamer, liet me in de zetel vallen naast opa's bed en deed alsof ik meteen sliep.

28

'Wakker worden kind, je kind moet eten.' Met een knipoog overhandigde hij me prutske.

'Ben wakker,' zei ik en knoopte mijn hemd los. Die knipoog, had mijn vader ooit eerder naar me geknipoogd? Hij stond voor me, maar keek opzij.

'Ons ma heeft het niet makkelijk,' zei hij tegen de muur.

'Wie wel?' zei ik, en schrok zelf van mijn snibbige antwoord.

Sinds mijn trouwen was de rug van mijn vader flink gekromd. Nog even keek hij om en zei: 'Je boterhammen staan klaar.' Ik knikte beschaamd. Wat moest ik voelen, moest ik iets voelen? Prutske dronk, ik hing onderuit in de zetel en keek verweesd rond. Onder het crucifix een lichte plek op het behang ter grootte van een schilderij; ik wist nog welk en in wat voor lijst. De lijst van een schrijnwerker, geroemd om zijn houtsnijwerk. Zoals die in de nieuwe kerk de voeten van Christus aan het kruis had geplooid, en die knik in Zijn nek, het was alsof het met doornen gekroonde hoofd je zo in de schoot kon vallen, ieder sprak erover. In de lijst waren oneindig veel latjes verwerkt, meest onverkoopbare restanten, de schrijnwerker was naast artiest ook een gekende vrek. Maar de vrek had oma's schilderij nog nat op de ezel gezien en geprezen en dus mocht hij, die er bewezen verstand van had, zich uitleven op een passend kader voor vuurrode papavers, zwart van hart in een gouden vaas, met op de achtergrond een veldje rogge, want, zei mijn oma, rogge en papavers horen bijeen als jouw opa en ik. Eenmaal in de woonkamer voor ieder ten toon vertelde ze dat er maar één was die haar kunst mocht erven en dat was Marie, haar oudste dochter. Niet mijn moeder. Maar oma had er lang over gedaan om dood te gaan; papavers en rogge waren mee-verhuisd naar haar slaapkamer en zo had onze artieste meerdere kale plekken in huis achtergelaten.

Opa lag er rustig bij, zijn ademhaling verried een slaap zonder demonen, zonder verloren echtgenotes die plots weer opdoken. Wat ik miste was het spoortje pruimtabaksap dat gewoonlijk vanuit zijn mondhoek naar zijn kin siepelde en daar opdroogde; was hij vergeten hoe lekker dat was? Op zijn nachtkastje stond voor Rosalies' portret een bord pap, nog niet voor de helft leeg; mijn moeder had hem gevoerd terwijl ik sliep. Het deerde hem blijkbaar niet dat ik naast hem zat. Ik pakte het bord op schoot en lepelde het gulzig leeg, de hard geworden randjes bewaarde ik voor het laatst. Daar dook Emma weer op en opnieuw raasde het slechte nieuws door mijn lijf, Emma vermist, besef het, Roos, je bent Emma voorgoed kwijt.

Hoe laat was het? Ik wou naar haar moeder, maar ik was bekaf en mijn besef van tijd was zoek. Prutske bleef drinken, ik dommelde weer in, maar zat ineens kaarsrecht toen ik de koffiemolen hoorde met daarbovenuit de stem van Marie. Met de bruine cape over haar schouder kwam Emma's moeder de slaapkamer binnengestoven en vloog me om de hals.

'Er is er tenminste één teruggekomen.' Haar stem klonk gesmoord. 'Roos toch, kind toch, wat een geluk,' ze kneep me, 'wat een gelúk,' ze huilde met grote uithalen, niet te stoppen; ik wist me geen raad met zoveel verdriet dat zich aan mij vastklampte, brutaal bij me binnendrong en weerloos maakte. Toen prutske begon te piepen probeerde ik me los te wurmen uit de greep van Marie. Het bord kletterde op de grond waarop mijn moeder vanuit de keuken jammerde dat het al-ler-laatste porseleinen bord van haar moeder aan gruzelementen lag; onvergeeflijk.

Had het dan laten inlijsten, dacht ik. Maar de scherven brachten rust. Marie snikte nog wat na, mijn vader pakte prutske en ik probeerde Emma's moeder op een kalme manier opnieuw te begroeten. Wallen onder haar ogen, aan weerszijden een web van rimpels en heel veel vlees verloren; ik nam de cape van haar schouder en duwde er als vanzelf mijn neus diep in. Met de cape tussen ons in hingen we tegen elkaar aan, stil. Mijn moeder schuifelde rond met veger en blik en verordonneerde ons, zwaaiend met haar borsteltje, naar de keuken opdat niet ook opa deel zou worden van alle consternatie, want opa kon niet tegen tranen, zei ze; het was meer dan zij zelf aankon. Met prutske op de arm zette mijn vader een pot koffie en in een poging de brokken in mijn keel weg te slikken nam ik een hap brood.

'Ik borduur de cape,' zei Marie, 'ik pak de postkaarten van Emma erbij en teken ze na, op de cape.'

Het bleef stil.

'Dan is ze toch nog een beetje bij me.'

Ik keek naar de duizenden kruissteekjes in alle kleuren, maar kon geen patroon ontdekken.

'Haar cape kwam hier vanuit Santarém, met een brief erbij. Daar vandaan kwam ook de kist met heeroom, toen, van de Jezuïeten, denk ik.' Marie haalde adem. Ik dacht aan Fien die mij heerooms tokkelaartje had geschonken en friemelde wat aan mijn haar.

Wat deed Stan op dit moment?

'Maar Emma zit niet in het klooster, ons Emma is niet geschikt voor non.'

'Dat weet ik,' zei ik, op ontploffen van verdriet.

Haar ogen nog dik en rood, verscheen er een voorzichtig lachje op haar gezicht, alsof lachen verboden was.

'Wel geschikt voor zuster, absoluut niet geschikt voor non,' zei ze weer en vouwde de brief open. Op gedragen toon vertolkte ze de lofzang op haar dochter en de belofte dat ze de zoektocht niet zomaar opgaven; ze ving mijn blik en liet die niet meer los, tante Marie las niet voor, tante Marie kende het verhaal vanbuiten. We lieten haar begaan tot ze voor de derde keer opnieuw begon. Toen zette mijn vader prutske bij haar op schoot en nam haar behoedzaam de brief uit handen. Ze protesteerde niet, met haar kin op prutskes kruintje staarde ze voor zich uit.

'Alleman koffie?' vroeg mijn vader.

'Ja, koffie.'

Weer die stilte.

Dan Marie: 'Maar zeg, Roos, vanwaar die plotse verhuizing?' Ik klemde de kiezen op elkaar. Die plotse vlucht, bedoelde ze. Verwacht van mij nu geen uitleg, lieve Marie, geen fut, geen uitleg.

'Ach, ik weet het, jouw mamma heeft onderweg al het een en ander verteld; Baeckelandt-o-Baeckelandt dat zijn toch allemaal geen manieren.'

Opnieuw klonk haar stem plechtig, alsof ze iemand overtuigen moest.

'Soms is het moeilijk aarden tussen vreemd volk, en dat is het, maar je hebt een prachtig kind.'

Ze reikte me prutske aan.

'Wees er zuinig op.'

Een vage misselijkheid overviel me, te gulzig gegeten wellicht. Of de koffie viel verkeerd.

'In Brazilië verven ze hun kerken lichtblauw en geel, soms zelfs rood, schreef Emma, dat zal daar een kleurenkermis zijn.'

'Mag ik die brieven lezen?' vroeg ik.

'Maar natuurlijk.'

Ze sprong recht: 'Kom, kom maar mee.'

'Nu niet, tante, later, merci.'

Mijn kop barstte. Ik kuste Marie gedag, liep met prutske de slaapkamer in en kroop zo misselijk als een kat in het bed van mijn ouders.

Rammelende melkemmers, het was geen middag meer, maar ook nog geen avond. Mijn vader liep langs op weg naar de koeien en tikte, net als vroeger, met zijn trouwring op het raam als signaal: ik ben de polder in. Genegenheid. Het meisje lag lekker tegen me aan en speelde met haar vingers. Warmte. Mijn hoofd voelde beter, mijn borsten zwaar en pijnlijk. Komaan pruts, het staat hier op springen, verlos me; wat de kleine acuut en met volle overgave deed. Het gaf mij de tijd mijn situatie te overdenken, want opnieuw zag mijn wereld er anders uit, zonder Emma. Licht in het hoofd trok ik het laken over ons heen, liet alleen een kiertje voor wat lucht; twee poppen in hun cocon.

Hier kon ik niet blijven. Hier blijven was bovendien het laatste wat ik wou. Het dorp. Het volk. Ze waren te voorspellen, de meewarige blikken over zoveel malheur, het gekonkelefoes over mijn miserabele thuiskomst, 'geen fatsoenlijke rok aan haar gat'. Maar ik voelde me

rijk, steenrijk met prutske en ik weigerde om nagel-
bijtend met de hele kluit op een paar vierkante meter
te gaan zitten wachten. En waarop? Tot het allemaal
vanzelf beter werd?

Wat ging Stan ondernemen? De Pruisen zouden het
hem niet moeilijk maken, hij kon hier zó voor de deur
staan. Dat zou toch niet... Lang had ik die gedachte
kunnen verdringen; ik gooide het klamme laken van
me af.

'Allooo,' klonk het aan gene zijde.

'Hallo opa,' fluisterde ik zo hard als ik fluisteren
kon om de kleine niet te laten schrikken. Prutske had
de slechte gewoonte om te stoppen met drinken als ik
ging praten. Allemaal nieuwsgierigheid en mij restte
dan voor uren lekkage en een zeurend melkoverschot.
Mijn gefluister kwam niet over. Opa's adem stokte
even, maakte een snurkend geluid, dan weer: 'Alloooo!'
Veel harder nu.

Mijn moeder kwam de kamer ingelopen, suste hem
met een slokje water en trok de zetel over het gladde
zeil onze kant op.

'Moedermelk verandert een baby in een mens,' zei
ze, en bleef ons minutenlang aanstaren. Haar ogen, anders zo helder, stonden dof. Haar handen, onbeweeglijk
in haar schoot, omklemden een luier; keek ik op, sloeg
zij de ogen neer, keek zij, dan ontweek ik haar blik.
Tussen zetel en matras zinderde een vreemde spanning,
ik wachtte af.

'Je hebt ons overvallen.'

Ik wist niet wat te antwoorden, wist niet of er ver-
wijt klonk in haar stem, of compassie.

'Wat maanden terug werd er veel over gesproken dat
je alleen door het veld zwierf, met een baby in een zak.'

Met een báby in een zák! Zot. Ik drukte prutske dichter tegen me aan.

Mijn moeder ging verder: 'Roddels, dacht ik, en venijn, ons Roos was altijd al een beetje apart, maar ze zal zich wel redden.'

Een beetje apart.

'Sssst mamma, straks,' zei ik zachtjes, op prutske wijzend. Ik knipoogde naar mijn moeder, moest op mijn andere zij.

'Mannen,' sprak ze tegen mijn rug, 'sukkelaars.' Twee woorden slechts, ze kwamen van heel diep, moeder kuchte even en liet het daarbij. Spijtig dat ik haar gezicht niet kon zien.

Onder de vensterbank zat een spin, een vette met lange, zwarte poten, acht wist ik, en harig, maar dat kon ik niet zien want de poten trokken aan het web met een vlieg verstrikt in doodsstrijd. De poten kromden zich onder het spinnenlijf, er dwarrelde een vleugeltje omlaag. Opa zuchtte. Mijn moeder stond op en schoof de zetel terug in de hoek.

'Kom maar naar de keuken als je klaar bent.'

Ik stak mijn duim in de lucht. Buiten blafte een hond, in mijn hoofd werd het bloed met heftige slagen tegen mijn kruin gepompt. Het geblaf stierf weg, het pompen bleef. Zachtjes wreef ik met mijn neus over prutskes hoofd en inhalleerde diep. Met een smak liet de kleine haar prooi los, ze was voldaan. In dezelfde kleren waarmee ik 's nachts was geland stapte ik uit bed en begroette ik opa die rechtop in zijn kussen zat en met gedoofde ogen vriendelijk knikte naar iemand in de verte. Zijn handen lagen gevouwen voor hem op het laken, alsof hij bad. Een kalme stilte. De ingevallen mond miste behalve het gebit ook de noodzaak om te spreken.

Mijn moeder was mijn moeder niet meer. Harte-
lijkheid en optimisme hadden het veld geruimd voor
verbitterde mondhoeken; ze was nog slechts een schim
van de declamerende schoonheid die schitterde op
mijn trouwfeest.

Haar familie, vier broers met aanhang en Marie, had
de loopgraven betrokken. Ja-ja kind, vertelde ze in rap
tempo aan de keukentafel, loopgraven hebben ze niet
alleen over de grens. Het moest snel verteld, want mijn
vader kon ieder moment terugkomen van het melken
en ze schaamde zich zichtbaar een dergelijk verhaal aan
haar dochter te moeten vertellen. Het draaide allemaal
om geld. Opa kon als weduwnaar maar beter zijn boel-
tje alvast verkopen, vond de familie, en ergens gaan in-
wonen. Dat 'ergens' was op voorhand een uitgemaakte
zaak en betrof mijn ouders, want die hadden de meeste
plek. De familiaire plannen werden pijnlijk gedwars-
boomd. Opa was van tijd tot tijd malende en ons hof
was gevorderd door het Nederlandse leger; de geldwol-
ven restte niets dan jankend af te druipen en nu kwam
niemand nog overeen. Een drama. Alleen tante Marie
werd ontzien.

Ik was op weg naar ons huis; op de vliering lagen
nog kleren, dacht mijn moeder, in ieder geval voor
prutske en voor mij, tenzij ze intussen door de motten
waren opgevreten. Nu liep ik in de kleren van Emma.
Marie was teruggekomen en had alles wat er nog van
Emma in de kast hing meegenomen en op de keukentafel gedrapeerd; mijn moeder had haar laten begaan,
ze begreep dat Marie maar al te graag zag dat de kleren
weer gedragen werden, weigeren was onmenselijk geweest, zei ze. Hier te lopen in een rok en bloes van iemand die mijn grote voorbeeld was maar kwijt, ja, zelfs

hoogstwaarschijnlijk dood, gaf me een akelig gevoel, een venijnig mengsel van woede en verdriet. Prutske maakte geen onderscheid als het om gefriemel ging en klemde het zijden koordje van Emma's bloes in haar knuist om het nooit meer los te laten.

In de dreef liepen soldaten op en neer, het was onduidelijk wat ze er deden tot ik een vreemd geronk hoorde, een Zeppelin kwam dichterbij; het Duitse luchtschip leek de daling in te zetten, was volledig uit koers. Op de grond blèrden de militairen uit één keel naar boven:

'Wij blijven neutraal want wij houden van vree!
Wij blijven neutraal en we vechten niet mee.'

Het logge gevaarte zwenkte richting de grens en klom weer, vervolgde hoog in de lucht zijn weg naar Londen, vermoedelijk, met bommen. Ook de zangers bliezen de aftocht en liepen net als ik, terug naar ons erf. In het voorbijgaan groetten ze stuk voor stuk verlegen en gluurden heimelijk naar de draagdoek.

- Ze was altijd al een beetje apart -

Vanaf ons erf klonk geschreeuw. Dichterbij zag ik dat er gevoetbald werd. Zodra hij me zag verliet de vriendelijke zijn doel, twee stenen, en kwam me breedlachend tegemoet. Het spleetje tussen zijn voortanden viel me nu pas op.

Een doelpunt, de mannen juichten.

'Mevrouw Roos! Goedendag, wat brengt u hier?' Warme stem.

Zijn groene hemd had donkere vlekken, zijn haar hing in sliertjes over zijn voorhoofd en iets te grote oren. Hij trok het hemd uit zijn broek en droogde met de zoom zijn gezicht. Zijn navel. Op zijn gebruinde armen trok zweet strepen in het stof. Vanaf het veld opnieuw gejuich, prutske keek op. Onverstoorbaar bleef de vriendelijke naast me staan uithijgen en streelde de wang van het meisje. Even rustte zijn arm in de draagdoek, zijn warmte bereikte mijn huid, hij geurde naar versgemaaid gras.

'Ik moet iets zoeken op onze vliering,' zei ik veel te zacht, terwijl ik probeerde met de doek opkomende rode vlekken in mijn hals te bedekken.

'Pardon?' zei hij.

Mooie ogen.

'Ik loop in de kleren van mijn nichtje en heb niks voor de kleine, hier op zolder moet nog het een en ander liggen.'

'Kom,' zei hij en hij ging me voor het huis in, recht de trap op. Overal zaten en lagen soldaten, kaartend of verveeld voor zich uit starend, geniepig fluitend toen ik passeerde; één blik van de vriendelijke en het werd stil. Mijn slaapkamer was enkel strozak; zes mannen op een rij met boven hun slapende hoofden het plaatje van de oceaanstomer waarmee Emma naar Brazilië was vertrokken; iemand streelde mijn ruggengraat met een ijspegel.

Nergens hing nog een binnendeur in de hengsels, voor extra ruimte waarschijnlijk; ons huis stonk als een varkenskot bij zomerdag. Mijn moeders paleisje werd uitgewoond en met welk doel? Geen wonder dat ze de situatie niet aankon.

De vriendelijke klom als eerste de smalle ladder op naar de vliering, met de lange benen in het trapgat bungelend, wenkte hij me.

'Geef de kleine maar aan mij.'

Mijn gedachten tuimelden over elkaar toen ik de smalle treetjes opklauterde en hem prutske aanreikte;

ik wist niet hoe snel ik het dakraam open moest gooien. Gebukt onder de pannen zag ik de man zitten met zijn grote handen achter de rug van het meisje, de twee oog in oog; harder dan nodig sprak hij: 'Naast iedere soldaat staat een held, dat is een vast gezegde van onze generaal. En naast jou, lieve kleine, staat een heldín.'

Ik haastte me de donkerste hoek in.

29

Met duim en wijsvinger tikte ik zachtjes tegen de bladeren zodat ze wel hun geur afgaven, maar niet scheurden. Ik snoof, plukte een barstensrijpe tomaat, boende die blinkend langs mijn dij en zette er vol mijn tanden in. Sap spoot tegen mijn verhemelte, traag vermaalden mijn tanden het vruchtvlees; wie doopte zóiets verrukkelijks 'nachtschade'?

De kleren van zolder hingen te drogen, ik was niet langer aangewezen op de garderobe van Emma die me continue rillingen bezorgde. Op de bleek golfde een zee van witte lakens met daartussen prutske. Iedere dag ontdekte ze iets nieuws en liet me dat luidkeels weten. De wind woei haar mollige beentjes bloot, ze merkte er niets van. In de ban van haar vingers keek en voelde ze van de ene naar de andere en als ze zichzelf kneep, kreeg ze kuiltjes in haar wangen of blies pruttelend belletjes zever.

Ergens klonk een knal die me raakte alsof er een tak in mijn gezicht zwiepte. Haar onderlipje zakte in de trilstand, maar zodra ik haar riep lachte ze haar aanstekelijke lach. In de verte hing een bui die zich als een grauwe sluier over de akkers verspreidde, maar in de juiste richting wegtrok. Met haar linkerhand stak ze haar rechter wijsvinger in de lucht. In mijn binnenste gejuich, gejuich dat nog hetzelfde moment verstomde; kon Stan prutske zo zien. Zou hij haar missen? Zou hij ons missen? Misschien stuurde hij Florine, was hij zelf bang. Te bang om te horen en te bang om te zien. Als hij dat perse wou, dan kon hij toch een brief in Nederland bezorgd krijgen? Maar Stan was schrijver noch prater en mijn vlucht had hem zeker diep gekwetst, hoewel hij het woord zelf niet kende. Het had tijd nodig, hield ik mezelf voor. Kreeg ik ooit de kans hem uit te leggen waaróm ik was gevlucht?

Als hij Mathilde maar met rust liet.

Op zijn manier was hij goed geweest voor me, maar ik was daar niet op mijn plek. Ons Grote Zwijgen… Een strijd niet uitgesproken was een strijd die niet bestond en als er al een verschil van mening was, dan waren er altijd de onderling veelzeggende blikken van Stan en bompa; ogen die elkaar vonden en spraken zonder woorden.

'Wij hoeven niet te spreken om te weten waar we het over hebben.'

Kom daar eens tussen.

Ze hadden mij niet nodig. Wie wel? Ik kon niemand bedenken, iedereen kon zonder mij, behalve prutske. Het zou niet lang duren of madam smeerde zelf haar boterhammen en dan was ook die pret voorbij. Aan mijn ouders te zien werd het er met de jaren niet beter op. Het leven was geen feest, het gaf je in het wilde weg opdrachten, het stelde je voor keuzes, liefst uit twee kwaden, het toonde je pijnlijk je tekorten en het verwoestte je geliefden, soms enkel hun geest, soms ook hun veel te jonge lichaam.

In korte tijd was ons huwelijk onze eigen grote oorlog geworden. Ik had me vergist, ik had me verschrikkelijk verkeken op Stans plaats in de familie en mijn plaats naast hem; hun rangorde was de mijne niet. Waarom liep de wat oudere, wijze Stan die ik dacht te kennen gelijk op met de Pruis in die vreselijke oorlog? En zonder ooit één poging de meeloperij te vergoelijken; niemand was mij enige uitleg schuldig. We kenden dagen van gras en dagen van stro; die van stro kregen al snel de overhand. Al wat ik kon was weggaan, vluchten naar beter.

Wat beter?

Proberen de liefde in eigen hand te houden is soms als een peuter die zijn eerste ijspegeltje niet wil loslaten. Stans ogen, zijn lach, zijn krachtige, prachtige lijf, ooit had ik het lief met al wat in me was. Maar lichaam en geest zaten gevangen in een uniform en oordeelden als een blinde over de kleuren. Vrouw weg, kind weg, hond langs de IJzer aan gort geschoten.

Opnieuw een knal. Niet uit de boomgaard, eerder uit de richting van de grens. Massa's spreeuwen vlogen over. Een alarmbel nu. Om me heen was niets veranderd, toch zat er iets zwaars op mijn borst. De schel was het sein voor een ongeluk; over het vlakke land droegen hoge tonen ver.

Iets moest de dodendraad geraakt hebben. Ik pakte het meisje van de bleek en liep opa's erf af naar de dreef. Gele bossen parfum camoufleerden de littekens in de gevel; ieder jaar klommen de rozen hoger. Alleen in de juiste bodem kon je wortelen en kwam je tot bloei. In het voorbijgaan raakte mijn wang een blad, ik sloot mijn ogen.

'Prutske ruik eens, ruik eens, zo ruiken prinsesjes,' fluisterde ik in haar oor, 'én onze tante Florine. Florine rook ook altijd naar rozenwater. Spijtig dat ze ons al vergeten is.'

Het alarm hield aan; we bogen voorover.

'Pas op, ruiken mag alleen van opzij, de bovenkant van de bloemen is voor de vlinders.'

Achter mijn ogen rukten tranen op. 'Jouw pappa houdt ook van vlinders. Hij vangt ze en sluit ze op in een glazen pot.'

Mijn ingewanden balden samen.

'Als ze niet meer bewegen doet pappa heel voorzichtig het deksel van de weckpot en prikt de vlinders met een kopspeld op karton, zo kan hij er lang naar kijken.'

De dreef lag er nog steeds verlaten bij. De populieren ruisten hun vertrouwde ruis. Ruis trekt zich van grens en dodendraad niets aan.

Verlangde ik nu naar Stan? Wou ik weten wat hij op dit moment deed? Ik kende het antwoord, maar liet het niet toe.

Afgelopen nacht droomde ik keer op keer dezelfde droom. Ik liep rond in een tot de nok toe volgestouwd huis, een huis zonder ramen, maar het was er vreemd genoeg niet donker. Ik zocht iets, moest steeds naar boven, minstens drie trappen op. De traploper was tot op de draad versleten, zowat alle koperen roedes lagen los. Daar moest hoognodig wat aan gebeuren, dacht ik dan, want losse traproedes waren levensgevaarlijk; het was belangrijker de roedes goed vast te maken dan ze keer op keer te poetsen. Het curieuze was dat ik in mijn slaap wist, dat ik dat al eerder dacht. Bijna boven weigerden mijn benen dienst, ze liepen vol, werden zwaarder en zwaarder tot ik op de overloop Stan zag zitten, onbeweeglijk op de dekenkist. Telkens op dat moment schrok ik wakker. Tegen de ochtend wist ik zelfs tijdens de droom al hoe het afliep.

Ongehinderd door dromen of vlinders speelde het meisje met mijn haren. Weer kneep ik mijn ogen tot spleetjes, prutske deed alles na, samen tuurden we in de verte. Aan het einde van de dreef kwam iemand hard de bocht omgelopen. Hij was in het blauw. Iets felblauws glansde in de lage middagzon door de bomen, een uniform. Of? Ik hapte naar lucht, zag lange haren opzij wapperen, een vrouw? Nee, jawel, het was een vrouw, die blauwglimmende bloes, die zijdeglans...

'Floríne, Florie-ien.'

Mijn hart miste een paar slagen. Dus toch. Florine duwde iets voor zich uit, in het midden van de dreef sukkelde een hond die plots inhield, zijn neus in de lucht stak en toen blaffend op me af stormde, Bach! Jankend sprong het beest tegen me op, likte mijn handen, mijn benen, stak kwispelend zijn snuit in de draagdoek. Pas toen Florine dichterbij kwam herkende ik onze kruiwagen. Als een vonkenregen stroomden de woorden uit haar boze mond, ik hoorde ze niet, haar lippen bewogen alsof ze vanachter een raam tegen me riep. Alleen Bachs gejank kwam door. Bloed perste zich naar de uithoeken van mijn lijf. Het meisje krijste; god-o-god, ik loste mijn greep. Iets flitste beelden door die ik afwees, sloot ik mijn ogen, dan werden ze feller. Op de kruiwagen lag een wollen deken, er stak een voet onderuit met op de zool 'Schoenen Desmedt Gent'.

Met dank aan mijn bronnen

Em. Prof. Dr. Alex Vanneste: *Het eerste 'IJzeren Gordijn'? De elektrische draadversperring aan de Belgisch-Nederlandse grens tijdens de Eerste Wereldoorlog*

Willem-Jan Joachems: *Nieuw licht op belangrijke rol West-Brabant tijdens de Eerste Wereldoorlog*

Roger Verbeke, *documentatiecentrum In Flanders Fields Museum Ieper*

Herms Lunenborg, *afdeling collectievorming & kennisuitwisseling Openluchtmuseum Arnhem*

Bulletin *van de Oudheidkundige Kring 'De Vier Ambachten'*

Jan Smed, http://www.jansmed.be/jansmedhommel.html *De hommel*

'Vrije Stem' nr. 16, een door de Duitsers verboden blad